EDUCAR VALORES EN GRUPO

Esta colección es un proyecto educativo preparado por la asociación "Animadores Siglo XXI" bajo la dirección de Alfonso Francia

© Juan Manuel Alarcón Fernández.
© Ediciones Aljibe, S.L., 2005
   Tlf.: 952 71 43 95
   Fax: 952 71 43 42
   Pavia, 8 - 29300-Archidona (Málaga)
   e-mail: aljibe@edicionesaljibe.com
   www.edicionesaljibe.com

I.S.B.N.: 84-9700-274-1
Depósito legal: MA-846-2005

Cubierta y maquetación: Equipo de Ediciones Aljibe

Imprime: Imagraf. Málaga.

Queda prohibida, salvo excepción prevista en la ley, cualquier forma de reproducción, distribución, comunicación pública y transformación de esta obra sin contar con autorización de los titulares de propiedad intelectual. La infracción de los derechos mencionados puede ser constitutiva de delito contra la propiedad intelectual (arts. 270 y sgts. Código Penal). El Centro Español de Derechos Reprográficos (www.cedro.org) vela por el respeto de los citados derechos.

Juan Manuel Alarcón Fernández

EDUCAR VALORES EN GRUPO

EDICIONES
ALJIBE

*A mis padres,
que me regalaron la vida,
nutrieron mis raíces
y me enseñaron a crecer y dar frutos.*

Índice

Introducción 15
    ¿Qué quiero ser de mayor? 15
    La calidad humana: todo un reto educativo 16
    Las técnicas nos ayudarán en el proceso 16
    Agradecimientos 23

Capítulo I. Ser lo mejor que puedo ser 25
  1. Quiero ser mejor persona 26
    Nuestro nombre nos hace mejores 26
    Retazos de un diario 28
    La taza de té 28
  2. Mirad cómo soy 30
    Una cena con mi personaje favorito 31
    Me dibujo a mí mismo 31
  3. Mirad lo que tengo 32
    ¿Soy lo que tengo? 32
    Nuestras cualidades, nuestras riquezas 33
  4. Voy a mimarme un poco 35
    El hombre anuncio 35
    El cuchicheo positivo 36
    Mi último éxito 37
  5. Mi lugar en mi familia 38
    Un árbol genealógico… muy especial 38
  6. Mi lugar en el mundo 40
    La tela de araña que sujeta el mundo 40
  7. Asumir mi pasado 42
    Recuerda… 42
    Mi pequeño y querido amigo 43

8. Dar sentido al presente	44
Disfrutar de la vida	44
La línea de la vida	45
Sólo te quedan seis meses	47
9. Protegerme ante el miedo	47
El miedo en mi barrio-pueblo-ciudad	47
Cuando tengo miedo, me defiendo	48
10. Aprender a escucharme en los buenos y los malos momentos	49
Mi ángel y mi demonio	49
¿A cuál alimentas?	51
11. Aprender de las malas experiencias	51
¿Mala suerte?, ¿Buena suerte?	51
12. Que mi pensamiento no me haga daño	53
La óptica: gafas a medida	53
Una hoguera a los malos pensamientos	55
13. Ser igual, ser especial	56
Si yo fuese un paisaje…	57
14. Siento, luego existo	58
El cuadrante de sentimientos	58
Hablemos de lo que sentimos	59
15. Descargar las tensiones	60
El árbol de los problemas	60
16. Ser auténticos	62
El tetra brik	62
Somos auténticos cuando…	63
17. Ser uno	63
El excursionista	63
18. Abiertos a crecer	65
Mis temores y esperanzas	65
Un pensamiento alegre… ¡y podrás volar!	67
19. Sacar a la luz mi ideología	68
La casa de tu vida	68
20. Soy un tesoro de un gran valor	69
¿Cuánto valgo?	69
El cofre del tesoro	71

Capítulo II. Saber relacionarme y comunicarme 73
1. Aprender a escuchar al otro 74
   No hagas otra cosa que escucharme 74
2. Ser un buen comunicador 75
   Técnicas sencillas para ser un buen comunicador 76
3. Disfrutar de la comunicación 77
   Un masaje relajante: un mensaje de caricias 77
   Un mensaje relajante: un masaje escrito 79
4. Enriquecer mi comunicación no verbal 80
   La mano a la nariz 80
   Guardianes y prisioneros 81
   El extranjero 83
5. Quien tiene un amigo, tiene un tesoro 84
   Tú serás hoy, mi amigo/a del alma 85
   Un decálogo para la amistad 86
   Mis queridos amigos… 86
   La amistad... Un amor sin ataduras 87

Capítulo III. Valores esenciales para vivir mejor 91
1. Respetar a los educadores y aceptar su autoridad ... 92
   Hoy te ha tocado a ti 92
   Diana de los educadores 93
2. Aprender a esperar 95
   Test del triunfador 95
3. Aprender a fallar, asumir el fracaso 96
   Sucesos desastrosos 97
4. Tener buen humor 98
   ¡Póngame un plato de buen humor! 98
5. Cultivar el esfuerzo 99
   Unos animalitos que nos hablan de la perseverancia. 100
6. Organizar nuestro alrededor 102
   Museo de Collages 102
7. Ser honesto y transparente 104
   Corre, ve y dile 104
   Pillar el gazapo 105
   Los efectos secundarios 106

8. Alcanzar objetivos 108
   El juego de consola 108
9. Disfrutar de hacer bien el trabajo 111
   El diploma 111
   Ser excelente 112
10. Ser humilde 113
    La máquina de la verdad 113

Capítulo IV. Para ser personas de altura 117
1. Ser sensible con la debilidad 118
   Pegatinas de solidaridad 118
2. Aprender a contemplar la vida cotidiana 121
   Cuaderno de Bitácora 121
3. Soñar y planificar el futuro 123
   Un puente hacia el horizonte: el proyecto de vida 123
4. Colaborar en un nuevo orden 127
   Acuérdese de mí 127
   Si yo cambio, el mundo cambia 130
5. Tener fe y confianza 131
   Test de fiabilidad 132
   Mi secreto por el tuyo 134
6. Cultivar la intimidad 135
   Una cita con nosotros mismos 136
7. Elegir un maestro guía 138
   Y fuimos a la casa del Maestro 138
8. Saber colaborar y cooperar 140
   Soplar la pluma 141
   50 palabras 141
9. Dar la vida 144
   Mi testamento 145
   Daría mi vida por ti 146
10. Ser fiel 147
    Ingredientes para cocinar la lealtad 148
11. Creer en las utopías 149
    Apadrina un… sueño 150
    Armas para la utopía 151
    Emisión radiofónica de buenas noticias 152

12. Dejar ser a los otros en libertad 153
    La mariposita 153
    ¡Deja de tirarme! 154
13. Saber dar gratis 156
    El paquete de galletas 156
    Me lo dieron, te lo doy... gratis 158
14. Una lección para el camino 160
    El viejo carpintero 160

Bibliografía 163

Introducción

¿QUÉ QUIERO SER DE MAYOR?

Es curioso pero, desde hace casi cuarenta años, esta viene siendo una pregunta sustancial en mi vida. La respuesta ha ido cambiando en lo existencial, como es obvio; pero en lo esencial ha sido, es y espero que siga siendo la misma: *"De mayor, quiero ser... Mejor Persona"*.

Después, si lo deseamos, podemos añadirle los aliños necesarios que den sabor a esta realidad y puedo decir que de mayor quiero ser bombero, maestro, monja de clausura o una querida madre de familia; que me apetece ser rico, o una persona con muchos amigos; que tengo vocación de profesora o de delantero de fútbol; pero sobre la base, en el sustrato, se encuentra **el gran reto de ser persona**.

En la película *"Mejor imposible"*, Jack Nicholson le dice a Helen Hunt: *"Haces que quiera ser mejor persona"*. Qué regalo para el oído y el corazón que recibiéramos tal mensaje de cualquiera de nuestros educandos. ¿Hay cometido más importante, reconfortante y hermoso que nuestros pupilos quieran ser mejores personas? Ojalá escucháramos algún día: *"Yo, como tú, de mayor también quiero ser mejor persona"*.

Personas somos; eso no hay quien lo dude. Pero ya nadie cuestiona que también lo somos en proyecto; que podemos emprender un camino hacia la plenitud; que podemos ser mejores, no sólo en el sentido coloquial de "más buenas personas", sino apostar por la superación y la calidad personal.

LA CALIDAD HUMANA: TODO UN RETO EDUCATIVO

Estamos en los tiempos de la calidad. O al menos eso nos dicen. Cada producto del mercado que se precie, cada empresa o institución, debe someterse a un proceso, perfectamente protocolizado, para obtener su sello de calidad. Eso es, cada vez más, una exigencia que parece darnos a todos mucha seguridad.

¿Cuál es el protocolo que se precisa para el "sello de calidad" del ser humano? La ética da respuestas y nos explicita en qué consiste el proceso de personalización. Partiendo de unos mínimos exigibles invita a una altura moral que la configura con una ética de máximos, de valores altos que nos permiten emprender el camino de la plenitud humana.

La humanización requiere el desarrollo de todas las áreas del sujeto hasta su realización integral y plena. Este proceso, se puede facilitar a través de una educación en valores que se inicia con aquellos que son básicos y exigibles a cada una de las personas; para ir culminando en otros que configuran valores de altura, una ética de máximos, de altura moral. Educando una elevada reflexión moral podemos garantizar que las personas tengan la posibilidad de madurar como seres humanos libres y autónomos, sensibles e inteligentes, con un gran sentido de la responsabilidad y de la comunitariedad.

LAS TÉCNICAS NOS AYUDARÁN EN EL PROCESO

En este libro, quiero ofrecer a los educadores, que gustan de trabajar en la excelencia personal, un conjunto de dinámicas, técnicas y recursos que les permitan, con sus educandos, vivir y experimentar el proceso de humanización; de crecimiento personal en el ámbito grupal; de ser mejores personas; de emprender un camino a lo mejor que nuestros pupilos pueden llegar a ser.

Todas y cada una de las técnicas se ofrecen con dicho objetivo, pero también es cierto que cualquiera de ellas puede ser utilizada o adaptada según la realidad y necesidad del propio educador. La creatividad del educador puede convertir cada uno de estos instrumentos grupales en un medio para trabajar distintos objetivos e, incluso, estoy convencido de que para cada grupo dichas técnicas pueden ser adaptadas según la necesidad del momento.

Os ofrezco, pues, un conjunto de recursos técnicos para trabajar con grupos de todas las edades. Es cierto que los mismos están orientados, inicialmente, para adolescentes y jóvenes, ya que el proceso de personalización comienza evolutivamente en dicha etapa. Eso no es óbice para que, con personas más adultas, estas técnicas puedan ser utilizadas. Son aconsejables para cualquier edad, quizás con alguna matización, y ayudarán a vivir una experiencia personal y grupal enriquecedora e interesante para todos.

El conjunto de técnicas ha sido organizado siguiendo una sistemática que entiendo sugerente pero, en ningún caso, debe encorsetar el proceso que entienda el educador que debe hacer con su propio grupo.

Esta agrupación ofrece varios bloques:

I. Ser lo mejor que puedo ser

Para empezar se me antoja necesario que nos detengamos en ejercicios que facilitan la consciencia de uno mismo, el autocuidado, la buena imagen de uno, la aceptación de sí mismo,... Todos aquellos ingredientes básicos para ir construyendo una adecuada autoestima. No podemos construir un proyecto de persona en orden a la "excelencia" si no ponemos los cimientos que son necesarios e imprescindibles para el edificio de nuestra personalidad.

La palabra SER toma en este grupo de técnicas el protagonismo esencial. Es el primer paso en el proceso de personalización: saber quiénes somos; de dónde provenimos; hacia dónde nos dirigimos; que instrumentos son necesarios para que nuestro Ser se vea fortalecido, respetado, mimado.

Sobre esta base podremos construir un proyecto de utopía. Podremos soñarnos en clave de plenitud. Pero lo primero es conocer el punto de partida, la materia prima de ese proyecto: nosotros mismos.

Estos ejercicios, que se presentan agrupados bajo este título, no hacen magia, ni son milagrosos; pero sí pueden ayudarnos en la toma de consciencia; en el gusto por conocernos; en descubrir o redescubrirnos más aún. Y todo lo que facilite el autoconocimiento: bienvenido sea.

Pretenden ayudar también, con sencillas técnicas y en compañía de otros, a que nos llevemos bien con nosotros mismos; a saborear lo bueno de cada uno e ir encajando y aceptando aquellas áreas que más nos disgustan.

Es conveniente que los ejercicios de este apartado no nos lleven a ponernos etiquetas sobre cómo somos o dejamos de ser: se trata más de sacar a la luz, personal o colectivamente, lo que nos define como personas de manera más significativa.

El educador no puede perder de vista nunca este objetivo. Aisladamente, las actividades tienen sentido por sí mismas, pero ni que decir tiene, que si tenemos la oportunidad de desarrollarlas en el proceso que se ha trazado, en el orden sugerido, veremos frutos mucho más interesantes.

II. Saber relacionarme y comunicarme

El segundo bloque de ejercicios, que también puede ser un segundo paso en el proceso, pone a la persona en relación con otros. Son ejercicios de Escucha y Comunicación fundamentales para adquirir las nociones básicas de interrelación y diálogo.

Partiendo de la idea de que el gran "experto" en comunicación es aquel que mejor escucha, y no el que más habla; las actividades están más centradas en esta destreza tan importante. Se añaden también dinámicas que facilitan el mayor dominio de la expresión no verbal, que ya conocéis su papel tan relevante en la relación humana; y para concluir presenta unos ejercicios que pretenden que se vivencie la importancia en nuestras vidas del encuentro personal y de la amistad.

III. Valores esenciales para vivir mejor

Siguiendo el proceso, el tercer bloque de actividades, nos muestra una serie de técnicas que persiguen la vivencia de una serie de valores. Pero aún no hemos llegado a valores de altura moral; antes hay que trabajar otros que conforman lo que se denomina, más bien, una ética de mínimos: unos valores exigibles a todos, que facilitan la convivencia, las relaciones humanas y que optimizan nuestro modo de estar en el mundo con los demás.

De seguro que cuando veáis la lista de los títulos de cada dinámica de este bloque, cualquier educador reconocerá esos valores que se hacen tan necesarios hoy en día. Estos ejercicios permitirán que nuestros educandos, cuanto menos, se detengan en ellos, los ejerciten e interioricen la importancia de adquirirlos en su proceso de personalización como base de un proyecto de excelencia personal.

IV. Para ser personas de altura

Ya, en la última agrupación de actividades, nos detendremos en dinámicas que trabajan valores de altura. Es el último paso del proceso: vivir valores de autorrealización. Son necesarios para encaminar nuestra vida hacia la plenitud que venimos trazando y cimentando desde el principio. Son los valores que configuran una "ética de máximos"; que posibilitan educar personas solidarias, empáticas, soñadoras, generosas, altruistas, sensibles, fieles y con gusto por la intimidad y la comunicación profunda.

Técnicas

Aunque he planteado las técnicas agrupadas en bloques que responden a un proceso; es el educador quien debe detectar cuáles son las susceptibles de trabajo en cada grupo: por cuáles debe comenzar, cuáles de ellas son más urgentes; en cuál debe hacer más insistencia. Sólo el educador sabrá reconocer y configurar el proceso necesario para trabajar en el objetivo de la personalización de sus educandos.

Cada tema se trabajará con una técnica o grupo de ellas, encabezadas con un título que representará el objetivo que dicho recurso pretende cumplir. Quizás más que una técnica aislada, será una actividad basada en uno o más recursos técnicos que permitirán vivir una experiencia que lleve al objetivo planteado. En ocasiones, las veréis también acompañadas de algún recurso audiovisual o escrito.

No podemos olvidar, de todas formas, que el gran instrumento de trabajo y el más eficaz, es la propia creatividad del educador. Por ello, insisto en la idea de que las técnicas sean contempladas más como sugerencias, que el educador tiene en sus manos para su propio beneficio, que dinámicas que no se pueden adaptar a su realidad y que le quedan lejos de su praxis educativa.

He querido que estas dinámicas sean aplicables a cualquier ámbito educativo: se puede trabajar con un grupo pequeño o numeroso de personas; en el contexto de una tutoría de aula; en pastoral; en grupos o asociaciones juveniles; pueden ser usadas por los padres como juegos con los hijos; o pueden ser aplicadas también en cualquier campo de la intervención psicosocial: terapia de pareja; grupos de autoayuda; intervención comunitaria; grupos que trabajan con personas con dificultades o especiales conflictos,...

Es necesario que tengamos en cuenta, en la aplicación de las técnicas o dinámicas, una serie de sugerencias:

Es aconsejable comenzar las sesiones creando un clima favorable para el trabajo grupal: que las personas estén abiertas a las experiencias que se van a vivir; a las relaciones con los otros y fomentar aptitudes de comunicación auténtica y de autorrevelación.

No podemos elegir las dinámicas en función del gusto o capricho del educador sino que debe responder a un objetivo y situarse en su momento adecuado y su ámbito correspondiente.

Las dinámicas requieren desarrollarse en un proceso temporal. No es conveniente ni alargarlo ni eternizarlo. La paciencia del educador, a la vez que su agilidad, son una magnífica aleación que favorecerá el desarrollo adecuado de la dinámica.

Las dinámicas, las técnicas y los recursos son medios, instrumentos de los que nos valemos; no son fines en sí mismos. No debemos absolutizarlos, ni crear una expectativa mágica de resultados. Debemos, por el contrario, tener siempre presente el objetivo que queremos alcanzar y favorecer la vivencia por medio del instrumento. Son instrumentos educativos, ya experimentados, que nos serán útiles en el proceso de ayudar a crecer, a ser mejores personas. Así que... ¡Manos a la obra!

I. **Ser lo mejor que puedo ser**
   1. Quiero ser mejor persona.
   2. Mirad cómo soy.
   3. Mirad lo que tengo.
   4. Voy a mimarme un poco.
   5. Mi lugar en mi familia.
   6. Mi lugar en el mundo.
   7. Asumir mi pasado.
   8. Dar sentido al presente.
   9. Protegerme ante el miedo.
   10. Aprender a escucharme en los buenos y en los malos momentos.
   11. Aprender de las malas experiencias.
   12. Que mi pensamiento no me haga daño.
   13. Ser igual, ser especial.
   14. Siento, luego existo.
   15. Descargar las tensiones.
   16. Ser auténticos.
   17. Ser uno.
   18. Abiertos a crecer.
   19. Sacar a la luz mi ideología.
   20. Soy un tesoro de un gran valor.

II. **Saber relacionarme y comunicarme**
   1. Aprender a escuchar al otro.
   2. Ser un buen comunicador.
   3. Disfrutar de la comunicación.
   4. Enriquecer mi comunicación no verbal.
   5. Quien tiene un amigo, tiene un tesoro.

III. **Valores esenciales para vivir mejor**
   1. Respetar a los educadores y aceptar su autoridad.
   2. Aprender a esperar.
   3. Aprender a fallar, asumir el fracaso.
   4. Tener buen humor.
   5. Cultivar el esfuerzo.

    6. Organizar nuestro alrededor.
    7. Ser honesto y transparente.
    8. Alcanzar objetivos.
    9. Disfrutar de hacer bien el trabajo.
    10. Ser humilde.

IV. **Para ser personas de altura**
    1. Ser sensible con la debilidad.
    2. Aprender a contemplar la vida cotidiana.
    3. Soñar y planificar el futuro.
    4. Colaborar en un nuevo orden.
    5. Tener fe y confianza.
    6. Cultivar la intimidad.
    7. Elegir un maestro guía.
    8. Saber colaborar y cooperar.
    9. Dar la vida.
    10. Ser fiel.
    11. Creer en las utopías.
    12. Dejar ser a los otros en libertad.
    13. Saber dar gratis.
    14. Una lección para el camino.

AGRADECIMIENTOS

No quisiera finalizar mi introducción sin agradecer a Alfonso Francia su confianza por invitarme a participar en esta colección. Quiero recordar también a todas aquellas personas que dedican minutos de sus vidas a ser mensajeros de cuentos, parábolas, experiencias,... y que llenan nuestros correos electrónicos de buenas noticias y de enseñanzas que nos ayudan a ser mejores personas. Algunas de ellas, quedan aquí reflejadas en el libro: son de autores desconocidos y eso aún las hace más hermosas.

Por último mi más profunda gratitud a todos aquellos que no han parado de animarme a escribir; a los que han revisado estas líneas aportando sus correcciones; a los que tanto me han enseñado en el trabajo de cada día con su testimonio educativo; a mis alumnos y oyentes que no cesan de interpelarme y enriquecerme; a las personas y amigos con los que compartí vivencias que nos educaron mutuamente; y a mi familia que ha sido lo suficientemente generosa como para permitir dedicarme a esta tarea.

¡Gracias!

Capítulo 1

Ser lo mejor que puedo ser

1. QUIERO SER MEJOR PERSONA

> **Objetivo**: ayudar a expresar el deseo de ser lo mejor que podemos ser. Crear la inquietud necesaria que permita el conocimiento de uno mismo y la motivación para el trabajo personal.
>
> **Material necesario**: tarjeta de cartulina de color claro para cada participante de unos 15 cm. de ancho y 20 cm. de alto.
>
> **A tener en cuenta**: el educador ya puede tener preparada de antemano su tarjeta para mostrarla como modelo. Aquellos que tengan nombres largos o cortos pueden buscar la manera de reducirlos o ampliarlos (Juan Carlos = JuanCa; Ana = AnaMari).
>
> **Película**: "*Mejor Imposible*". (James L. Brooks; 1997).

Nuestro nombre nos hace mejores

Formamos un círculo entre los participantes. A cada uno se le entrega una tarjeta de cartulina junto con rotulador (o bolígrafo) y un imperdible o alfiler para sujetarlo en la ropa en un lugar visible.

El coordinador de la dinámica solicita a todos que coloquen su nombre o su sobrenombre, en forma vertical, en el margen izquierdo de la tarjeta. Se indica que busquen para 3 letras del nombre, 3 adjetivos positivos que reflejen una cualidad positiva personal que los haría mejor persona de lo que son y las escriban con MAYÚSCULAS en la tarjeta a continuación de la letra elegida. Luego, sobre el resto de las letras que han quedado sin completar, escribirán palabras en Minúsculas que reflejen el compromiso que les llevará a cumplir con esas 3 cualidades que plasmaron en el momento anterior. Una vez escrita la tarjeta se les pide que se la coloquen en un lugar visible, en la ropa.

Ejemplo:

D INÁMICO.
A TENTO.
N o perder el ritmo del grupo.
I nteresarme por los demás.
E MPATICO.
L iberarme de los prejuicios.

Después de esto, se les invita a desplazarse por el salón para leer los nombres, cualidades y compromisos de los demás. Una vez que todos se han observado, nos sentamos y cada uno cuenta lo que ha escrito en su tarjeta y cuáles han sido los motivos para ello. Si el grupo lo permite, también se pueden comentar unos a otros las impresiones que han tenido al leer las tarjetas de sus compañeros.

Tras el ejercicio, el educador puede plantear algunas cuestiones para el diálogo entre todos, entre otras:

- ¿Qué beneficios obtenemos al comprometernos con mejorar como personas?
- ¿Me gustaría cada cierto tiempo ponerme metas que me ayudasen a conseguir ese objetivo? ¿Cómo lo haría?
- Al contemplar las tarjetas de mis compañeros... ¿He presenciado cualidades que también podría asumir yo en este momento? ¿Cuáles?

Si el grupo es numeroso, la dinámica se desarrollará en subgrupos de 8-12 participantes y la puesta en común se puede hacer entre todos.

Retazos de un diario

Hay momentos, lugares, acontecimientos en la vida que nos han ayudado a ser mejores personas, que nos han facilitado la maduración y el crecimiento personal. Los llevamos en nuestra mente y en nuestro corazón como patrimonio importante de nuestro Ser. A ellos queremos prestarle un poco de atención.

Cada miembro del grupo escribe su nombre (aquel con el cual desea que le llamen) en el centro de un folio, en caracteres grandes. Alrededor de él y poniendo delante el número correspondiente a las preguntas, escribe las respuestas a las siguientes cuestiones:

1. Un recuerdo inolvidable.
2. Un acontecimiento importante.
3. Una fecha significativa.
4. Una o varias personas claves en tu vida.
5. Un cambio importante que hayas experimentado.
6. Una afición que te enseñó muchas cosas.
7. Una frase que te dijeron y te impactó mucho.
8. Tu mejor libro.
9. Una canción memorable.
10. Una película que nunca olvidarás.
11. ...

Cada cual puede añadir otros rasgos o aspectos de su historia que considere importantes. La distribución de las respuestas dentro del folio es elección de cada uno. Al terminar todos los miembros del grupo, tienen la oportunidad de ver el cuestionario de sus compañeros y dialogar entre ellos.

La taza de té (Autor desconocido)

"Se cuenta que alguna una vez, en Inglaterra, existía una pareja que gustaba de visitar las pequeñas tiendas del

centro de Londres. Una de sus tiendas favoritas era una en donde vendían vajillas antiguas. En una de sus visitas a la tienda vieron una hermosa tacita. '¿Me permite ver esa taza?', preguntó la Señora, '¡nunca he visto nada tan fino como eso!'.

En cuanto tuvo en sus manos la taza, escuchó que la tacita comenzó a hablar. La tacita le comentó: '¡Usted no entiende! ¡Yo no siempre he sido esta taza que usted está sosteniendo! Hace mucho tiempo yo sólo era un montón de barro amorfo. Mi creador me tomó entre sus manos y me golpeó y me amoldó cariñosamente. Llegó un momento en que me desesperó y le grité: ¡Por favor! ¡Ya déjame en paz!'. Pero sólo me sonrió y me dijo: 'Aguanta un poco más, todavía no es tiempo'. Después me puso en un horno. Yo nunca había sentido tanto calor. Me pregunté por qué mi creador querría quemarme, así que toqué la puerta del horno. A través de la ventana del horno pude leer los labios de mi creador que me decían: 'Aguanta un poco más, todavía no es tiempo'. Finalmente se abrió la puerta. Mi creador me tomó y me puso en una repisa para que me enfriara. '¡Así está mucho mejor!' me dije a mi misma, pero apenas y me había refrescado cuando mi creador ya me estaba cepillando y pintándome. ¡El olor de la pintura era horrible!

Sentía que me ahogaba. '¡Por favor, detente!' le gritaba yo a mi creador, pero, él sólo movía la cabeza haciendo un gesto negativo y decía: 'Aguanta un poco más, todavía no es tiempo'. Al fin dejó de pintarme; pero esta vez me tomó y me metió nuevamente a otro horno. No era un horno como el primero, sino que era mucho más caliente. Ahora sí estaba segura que me sofocaría. Le rogué y le imploré que me sacara. Grité, lloré, pero mi creador sólo me miraba diciendo: 'Aguanta un poco más, todavía no es tiempo'.

En ese momento me di cuenta que no había esperanza. Nunca lograría sobrevivir a ese horno. Justo cuando estaba a *punto de darme por vencida se abrió la puerta y mi creador me tomó cariñosamente y me puso en una repisa que era aún más alta que la primera.*

Allí me dejó un momento para que me refrescara.

Después de una hora de haber salido del segundo horno, me dio un espejo y me dijo: '¡Mírate! ¡Esta eres tú!'. ¡Yo no podía creerlo! ¡Esa no podía ser yo! Lo que veía era hermoso. Mi creador nuevamente me dijo: 'Yo sé que te dolió haber sido golpeada y amoldada por mis manos, pero si te hubiera dejado como estabas, te hubieras secado. Sé que te causó mucho calor y dolor estar en el primer horno, pero de no haberte puesto allí, seguramente te hubieras estrellado.

También sé que los gases de la pintura te provocaron muchas molestias, pero de no haberte pintado tu vida no tendría color. Y si yo no te hubiera puesto en ese segundo horno, no hubieras sobrevivido mucho tiempo, porque tu dureza no habría sido la suficiente para que subsistieras. Ahora tú eres un producto terminado. Eres lo que yo tenía en mente cuando te comencé a formar'".

2. MIRAD CÓMO SOY

Objetivo: presentarnos a los demás; darnos a conocer; mostrarnos tal y como somos.

A tener en cuenta: es un primer momento de autorrevelación, de contarnos a nosotros mismos. El animador debe caldear al grupo para la situación con alguna técnica sencilla de presentación (en el caso de que los componentes no se conozcan) o algún juego de calentamiento grupal (en el caso de que sea un grupo que lleva tiempo junto).

Una cena con mi personaje favorito

Se hace la siguiente presentación a los participantes: "Os ha tocado un premio especial: esta noche podréis cenar con vuestro personaje favorito (un cantante, un personaje de cine, famoso, un intelectual,...) Os han comunicado que esa persona tiene mucho interés en conoceros. No tendréis otra posibilidad de estar con él/ella. Escribe en un papel una especie de guión del discurso que darías de ti mismo; lo que contarías de ti para impresionar a esa persona. Pero no exageres... le gustan las personas sinceras y que saben contar lo que a uno le gusta o disgusta de sí mismo. Tiene que ser una presentación muy personal: tus aficiones, lo que haces, lo que te preocupa, los problemas que tienes, qué piensas de las cosas, cómo te diviertes, lo que te gusta y lo que no te gusta,...".

Cuando se ha situado al grupo en la tarea que tiene que hacer, se dan 15 minutos aproximadamente para escribir el guión.

Cuando todos lo tienen preparados se reúnen por grupos y se presentan tal y como lo hubiesen hecho en la cena.

Una vez que todos han terminado se puede hacer una ronda en donde cada uno comente qué presentación le ha llamado más la atención y por qué.

Me dibujo a mí mismo

Se les pide que dibujen en un folio un monigote que ocupe el centro del papel de arriba abajo. Lo dividen con un bolígrafo en tres partes (a la altura del cuello trazan una línea horizontal y otra a la altura de la cadera; quedando así separados cabeza, tronco y piernas). A la derecha e izquierda del folio pueden escribir palabras que expresen los siguientes aspectos que después compartirás en grupo:

- **En la cabeza**: escribe cómo crees que piensas; qué ideas tienes sobre la vida; enumera todos tus valores, cualidades y habilidades, y tus dificultades y defectos.
- **En el tronco**: escribe qué pretendes en la vida, qué cosas te mueven e impulsan, cuáles son tus ilusiones, tus metas; qué te apasiona; qué cosas te hacen sentir y vibrar,...
- **En las piernas**: escribe cómo actúas y cómo te comportas en: tus estudios, tu trabajo, con tu familia, con los amigos, en tu tiempo de ocio,... Qué cosas te hacen avanzar y cuáles otras te retienen en la vida.

3. MIRAD LO QUE TENGO

> **Objetivo**: valorar nuestras pertenencias como algo que nos identifica como personas. Saber darle su significado a lo material de nuestra vida y recordar que hay valores del ser que no podemos olvidar ofuscados por lo que tenemos.
>
> **A tener en cuenta**: este tema se ha planteado en dos sesiones de trabajo distintas. Se puede hacer cada una de ellas aisladamente también.
>
> **Película**: "Family Man" (Brett Ratner; 2000).

¿Soy lo que tengo?

En un folio se les pide que escriban las 5 cosas materiales que, entre sus posesiones, son las más importantes para ellos (un anillo, un colgante, un llavero, una motocicleta,...). A la derecha de cada objeto que expliquen por escrito qué significado tiene tal posesión.

Una vez terminado este ejercicio se hace una puesta en común dentro del grupo.

El animador se vale para hacer ver cómo algunas de nuestras posesiones nos identifican, hablan de nuestra historia, de nuestros gustos, de nuestras sensibilidades,...

Se coge otro folio en blanco y que escriban los 5 objetos (evidentemente distintos de los otros) que poseen y que podrían prescindir totalmente de ellas por ser superfluos e innecesarios.

Una vez que los han escrito en el papel, se trata de que elijan por qué actitudes, valores, cambiarían esas cinco cosas... Es decir, que cambien esas 5 cosas por aspectos que mejorarían su "Ser" persona. Por ejemplo, cambio este anillo por ser menos arisco con mis padres, cambio esta pulsera por ser capaz de no depender tanto del teléfono móvil, cambio este reloj por tener más amigos...

El animador invita a la conclusión: por un lado, lo que tengo me ayuda a ser yo y me identifica y, por otro, si son cosas innecesarias, pueden acabar distrayendo mi atención hacia cosas más importantes que me ayuden a madurar. Es bueno discriminar qué cosas me ayudan a ser y qué otras cosas son superfluas y puedo prescindir de ellas para centrar mi atención en lo que soy.

Nuestras cualidades, nuestras riquezas

Para empezar, se lee este cuento y se les plantea las siguientes preguntas para debatirlas y trabajarlas en el grupo.

"Cuentan que una vez un hombre caminaba por la playa pensando:

*'Si tuviese un coche nuevo, sería feliz...
Si tuviese más dinero, sería feliz...
Si tuviese un excelente trabajo sería feliz...'*

En ese momento tropezó con una bolsita llena de piedras, la cogió y siguió caminando mientras iba tirando una a una las piedrecillas al mar. Mientras tanto caminaba seguía pensando en las cosas que necesitaría para ser feliz.

Cuando ya sólo le quedaba una piedra, decidió guardarla y llevarla a su casa. Al llegar a su hogar, se dio cuenta de que la piedra era un diamante valioso.

¿Imaginas cuántos diamantes tiró al mar sin darse cuenta ni apreciarlos?" (Autor desconocido).

- ¿Cuáles pueden ser los diamantes que a veces no apreciamos, que nos harían felices y que no les prestamos atención pensando sólo en aquellas cosas que nos gustaría tener?
- ¿Qué cosas valen más de mi mismo? ¿A qué le doy más valor?

En un segundo momento, se hacen dos grupos y se prepara un debate (a modo de tribunal popular). Unos van a defender que es necesario tener muchas riquezas para alcanzar la felicidad y otros defienden que son los valores los que te hacen realmente felices. Trabajan los grupos buscando los argumentos necesarios para cada planteamiento.

Se ponen en común y discuten.

El educador llegará, aprovechando lo debatido, a una posición de integración. No se trata de vivir el tener y el ser como dos realidades contrapuestas. Lo que enajena es la obsesión por Tener y el olvido del Ser.

Sería bueno que al final cada uno destacara, de él mismo y de los otros, cualidades que son riquezas para él y que no son materiales. Si no son muchos en el grupo, se puede hacer de uno en uno. Se nombra a la persona y el resto del grupo le destaca algo positivo de él. Él, a su vez, dice lo que más le gusta de sí mismo. Si se hace así que no quede nadie sin pasar por el ejercicio. Puede ser un buen final para la reunión. Estas cualidades, son nuestras verdaderas riquezas.

4. VOY A MIMARME UN POCO

Objetivo: reforzar la autoestima a través del autoelogio y de escuchar en los otros aquellos aspectos positivos de uno mismo. Mejorar la imagen de ellos mismos mediante el intercambio de comentarios y cualidades personales.

A tener en cuenta: que nadie quede sin vivir la experiencia. No pueden acabar los ejercicios con miembros que han sido supravalorados y otros han pasado inadvertidos. Intentar que se equilibre la comunicación y los elogios para todos.

El hombre anuncio

Como si de un hombre anuncio se tratase, cada miembro del grupo se colocará un folio pegado en su pecho, con clips o cualquier otro medio que le permita fijarse el papel a la ropa sin que se le caiga, y otro en la espalda. Previamente en el primer folio habrán escrito:

Dos atributos físicos que le agraden de sí mismo.
Dos cualidades de personalidad que le agradan de sí mismo.
La actitud o la destreza que más le gusta de su personalidad.

Bajo estas palabras pueden añadir algún slogan publicitario que invite a que le conozcan y le valoren.

El segundo folio que llevan a la espalda lo dejan en blanco.

Cuando todos han acabado, se les da la consigna de que, en silencio, paseen por la sala mostrándose unos a otros y leyendo lo que los otros quieren comunicarles sobre ellos mismos.

En la medida que se les antoje, manteniendo la dinámica de silencio, se escriben unos a otros en el folio que llevan en la espalda valoraciones positivas de lo que piensan o sienten sobre aquel que están escribiendo.

Cuando el animador vea que ya todos han tenido tiempo de mostrarse y sobre todos se ha escrito algo en su espalda, invita a que se sienten y lean lo que les han plasmado en el papel. En grupo se comentan los sentimientos y vivencias que la experiencia les ha provocado.

El cuchicheo positivo

Se reúnen por grupos de 4 ó 5 personas. Se les pide que se levanten todos menos uno que se queda sentado mientras los demás se apartan a una distancia prudencial. El animador le pide al grupo que se ha separado que cuchichee sobre lo más positivo de la persona que se ha quedado sentada sin que él se entere. Se les da un par de minutos. Una vez han acabado de cuchichea uno del grupo se sienta y aquel que estaba sentado se incorpora al grupo y repiten la operación, en este caso, cuchicheando sobre quien quedó sentado. Así lo hacen con todos los miembros del grupo.

Una vez que todos han pasado por la experiencia, se sientan todos juntos y comparten cómo se han sentido al contemplar a sus compañeros hablando bien de ellos sin poder enterarse de lo que decían.

Cuando han terminado de hablar todos, a cada uno se le revela lo que se dialogó sobre ellos en el cuchicheo. Se vuelve a hacer una segunda ronda para ver cómo se sienten ahora.

Mi último éxito

En grupos pequeños, se les pide a cada miembro que rememore la última situación importante que vivieron como "éxito": un acontecimiento más o menos cargado de dificultad que afrontaron convenientemente y en el que obtuvieron resultados positivos.

Una vez que han pensado en ellos, escriben en un papel de 4 a 6 expresiones que representan cualidades personales que les llevaron a tener éxito en esa experiencia. Por ejemplo: "mi carácter abierto, mi capacidad para dialogar, mi paciencia ante lo que ocurría,...".

Cuando han concluido, el grupo se sienta en círculo y, de uno en uno, se comunican en qué consistió la experiencia; enseñan y explican el papel que han escrito con las palabras que reflejan lo mejor de ellos en esa situación; y comentan cómo se han sentido al compartir el ejercicio.

El animador anima a dialogar en este sentido:

- *¿Solemos valorarnos cuando las cosas nos salen bien y sacar conclusiones positivas de nosotros mismos? ¿Por qué?*
- *¿Qué otras cualidades de mí han favorecido la resolución o el afrontamiento adecuado de otras situaciones de mi vida?*

5. MI LUGAR EN MI FAMILIA

> **Objetivo**: ayudar a situarse y ubicarse en el seno del sistema familiar. Reconocer el lugar que se ocupa en ella, qué valores se han vivido en su seno y cuáles han sido las historias más significativas que les han ayudado a madurar.
>
> **Material necesario**: cartulinas, rotuladores de distintos colores.
>
> **A tener en cuenta**: se pueden traer fotocopias de fotos de los miembros de la familia y se pegan en el árbol. Es aconsejable animarles a que el trabajo realizado lo lleven a casa y se lo cuenten a los demás miembros de la familia.
>
> **Películas**: "¡Dulce hogar, a veces!" (Ron Howard; 1989); "Doce en casa" (Shawn Levy; 2003).

Un árbol genealógico... muy especial

En el centro de una cartulina se les pide que dibujen un gran árbol con ramas frondosas y raíces. Se les explica en qué consiste un árbol genealógico, pero se les añade que, en esta ocasión, sólo se hará con su sistema familiar de origen (sin más antecedentes familiares salvo que sean muy significativos: pueden incorporar abuelos si ocupan un lugar relevante) y se colocarán las figuras familiares tal y como se indica a continuación.

Bajo la tierra, en las raíces del árbol dibujarán (o pegarán las fotografías) a los padres y escribirán sus nombres. Si hubiese abuelos que son vividos de forma cercana y que participan activamente en la dinámica familiar se colocan junto a los padres.

El tronco ha de ser grueso y alto. En las ramas se dibujarán y se escribirán los nombres de los hermanos y de la persona que está realizando la actividad. Conviene que haya una separación entre hermanos y no se pinten todos juntos y aglutinados. Para clarificar el sistema se le puede sugerir que coloque a los hermanos en las ramas de mayor a menor, situando al mayor a la izquierda del ramaje y al más pequeño más a la derecha.

Una vez que ya se ha hecho el dibujo, pasamos a la segunda fase del ejercicio. En las raíces, junto a padres y abuelos, escribirán palabras que reflejen los valores en los que han sido educados y de los que se han "alimentado" para crecer.

A la derecha e izquierda del tronco, se plasmaran (a modo de titulares de prensa) frases que reflejen historias familiares que para el participante han sido trascendentales en su vida familiar, (por ejemplo: el día que nació mi hermano pequeño; Mis padres deciden que nos mudemos a una casa en el campo;...). En las ramas, junto a cada hermano, se colocan también palabras que expresen que reflejen cómo son cada uno de ellos (María, la empollona que siempre me echa un cable en los estudios; Luis, el cascarrabias que siempre me deja dinero cuando me hace falta;...).

En último lugar, el miembro del grupo se define junto a su nombre con aquello que le caracteriza en su familia; con aquello que aporta al resto del sistema familiar; con sentimientos que evidencien su estado de ánimo en su familia;...

Una vez acabada la obra de arte, se comparte en pequeños grupos.

6. MI LUGAR EN EL MUNDO

> **Objetivo**: sentir lo importante que somos cada uno de nosotros en la dinámica de la humanidad. Experimentar que todos somos necesarios y ocupamos un lugar que, en interdependencia con otros, configuran nuestro mundo.
>
> **Material necesario**: un ovillo de lana o de cordel no demasiado grueso. Una pelota de plástico no muy pesada.
>
> **A tener en cuenta**: aun siendo un juego, conviene que no se pierda la seriedad de la dinámica: No conviene hacerlo de forma acelerada sino viviendo cada paso y escuchando con atención lo que cada participante aporta.
>
> **Película**: "Qué bello es vivir" (Frank Capra; 1946).

La tela de araña que sujeta el mundo

Se le entrega a un participante un ovillo de cordel o lana. Se les motiva a construir un entramado con la cuerda sobre la que queremos apoyar el mundo. Debe estar bien construida y parecerse lo más posible a una preciosa tela de araña.

Para construirla, se le pide al primer participante que lance el ovillo, sujetando el inicio del cordel, a otro compañero y exclamando, con voz fuerte y clara, una expresión breve que refleje lo que él aporta al mundo. El otro al recibirla le da las gracias y se la lanza a otro compañero y repite el gesto. Así, uno tras otro, hasta que el último repite la operación enviándole el ovillo al primer participante y cerrando así el grupo.

El educador ha ido copiando las palabras que cada uno ha ido expresando y las redacta de esta manera:

Con... (la alegría de Macarena; la paz de Guillermo; el entusiasmo de Joanna;...) hemos construido una red para que el mundo pueda apoyarse en ella.

Lanza una pelota sobre la red y le pide a los miembros que jueguen a balancearla sin que la pelota caiga al suelo. Los miembros juegan durante unos segundos con la pelota-"mundo", evitando a toda costa que caiga al suelo.

Cuando lleven un tiempo considerable jugando con la pelota sin que esta se les haya caído; el animador para el juego, quita la pelota y elige al azar dos o tres miembros (menos sin el grupo es pequeño y más si el grupo es numeroso) a los que retira de la red. Comprobarán que la tela de araña se desmorona por algunos sitios.

Vuelve a lanzar la pelota sobre ellos y, con toda probabilidad, les resultará mucho más difícil que la pelota no caiga al suelo. Cuando el animador considere que la pelota ha caído al suelo en dos o tres ocasiones, da por finalizado el juego.

Se sientan y comentan cómo han vivido la experiencia; cómo se han sentido parte de esa red que conforma la humanidad y que necesita de todos para sostener el mundo; cómo han entendido el gesto de retirar a algunos compañeros y eso provocar que la tarea se hacía más complicada;...

Puede suceder que, al retirar a los compañeros, no se les caiga la pelota. Con toda seguridad les habrá resultado más complicado mantenerla en la red, con lo cual el objetivo también se da por cumplido y el animador puede sacar la misma conclusión.

7. ASUMIR MI PASADO

> **Objetivo**: echar un vistazo, con detenimiento, a nuestro pasado. Recrearnos en sus momentos más agradables. Reconciliarnos con las personas o acontecimientos que quedaron pendientes. Destacar que lo que somos y lo que aprendimos se lo debemos a ese tiempo vivido y a las personas que nos acompañaron.
>
> **Material necesario**: fotografías de la infancia, especialmente que las que reflejan momentos mas entrañables y significativos de la misma. Cartulina y rotuladores.
>
> **A tener en cuenta**: estos ejercicios conviene hacerlos en pequeños grupos y, a ser posible, con personas que se sientan cercanas. Después en el gran grupo se podría hacer una pequeña puesta en común, no tanto de lo que se ha hablado, sino de lo experimentado en el ejercicio.
>
> **Películas**: "El príncipe de las mareas" (Barbra Streisand, 1991); "El Rey León" (Rob Minkoff & Roger Allers; 1994); "Antwone Fisher" (Denzel Washington; 2002).

"La vida solo puede ser comprendida mirando hacia atrás, pero ha de ser vivida mirando hacia delante" (Sören Aabye Kierkegaard).

Recuerda...

A cada uno se le pide que traiga las fotos de su infancia que hablan de las personas y acontecimientos más significativos de su vida.

Las colocan pegadas a una cartulina y les ponen un titular de que sirva de preámbulo para la historia que narrarán luego sobre la fotografía.

Con los rotuladores pueden decorar el mural y hacer dibujos o señalizaciones que les permitan su narración posterior.

Cuando han finalizado el trabajo personal se reúnen en pequeños grupos y lo ponen en común.

Para la puesta en común, si la sala lo permite, se pueden colocar todos los murales a la vista de todos antes de que se sienten a dialogar. Se les invita a recorrer el "Museo del pasado de las personas del grupo". Así también, cuando comenten cómo se sintieron en los pequeños grupos, se puede abrir una segunda ronda de diálogo sobre qué les impactó de los distintos murales que observaron de sus compañeros.

Si se dispone de un escáner, un ordenador y un cañón de video este trabajo se puede hacer en Powerpoint y que cada uno haga exponga su presentación: Queda muy bonito.

Mi querido y pequeño amigo

Se les solicita que escriban una carta a ellos mismos cuando eran más pequeños. Se les motiva comentándoles que es probable que quieran comunicarse algo a sí mismo cuando eran más pequeños; en algún momento de su infancia que tuviese una resonancia especial. Por ejemplo: puedo escribirme una carta a mi mismo cuando tenía siete años y estaba a punto de entrar en quirófano, muerto de miedo, sin saber qué me iba a ocurrir; o cuando tenía 12 años y me había enamorado por primera vez de una chica que apenas me echaba cuenta; o cuando lloraba sola en mi habitación tras una pelea fuerte con mi madre;...

¿Qué quisieras contarte? ¿Qué te dirías? ¿Cómo le cuentas tu percepción de aquel acontecimiento algunos años después? ¿Cómo le ayudarías?...

Este mismo ejercicio ofrece la variante de escribirle también a alguna persona de mi pasado (mi padre, mi profesora, mi primer novio,...) y con el que viví una experiencia que ha quedado marcada en mi vida. Es una posibilidad de reconciliarme; o de decir lo que nunca fui capaz de decir; o de mostrar gratitud;...

Las cartas se pueden leer en pequeños grupos y hacer balance de lo experimentado en la dinámica.

Es obvio que, en una tercera variante de esta técnica, puedan escribir cartas breves con la misma finalidad tanto a sí mismos como a otras personas. Pero las cartas no han de ser muy largas para que la puesta en común sea fluida.

8. DAR SENTIDO AL PRESENTE

> **Objetivo**: profundizar en el sentido de la vida "aquí y ahora". Reflexionar sobre qué sentido le damos a nuestra existencia y cómo hacemos en el presente para configurar esos deseos y aspiraciones de sentido. Descubrir que la felicidad y satisfacción así como la paz interior, es una labor del propio individuo aquí y ahora.
>
> **Películas**: "Cuento de Navidad de Charles Dickens" (cualquier versión);
> "Atrapado en el tiempo" (Harold Ramis; 1993).

Disfrutar de la vida (Leon Tolstoi)

"Un hombre rico y emprendedor se horrorizó cuando vio a un pescador tranquilamente recostado junto a sus barca contemplando el mar y fumando apaciblemente su pipa después de haber vendido el pescado.

–¿Por qué no has salido a pescar? –le preguntó el hombre emprendedor.

–Porque ya he pescado bastante por hoy –respondió el apacible pescador.

–¿Por qué no pescas más de lo que necesitas? –insistió el industrial.

–¿Y qué iba a hacer con ello? –preguntó a su vez el pescador.

–Ganarías más dinero –fue la respuesta– y podrías poner un motor nuevo y más potente a tu barca. Y podrías ir a aguas más profundas y pescar más peces. Ganarías lo suficiente para comprarte unas redes de nylon, con las que sacarías más peces y más dinero. Pronto ganarías para tener dos barcas... Y hasta una verdadera flota. Entonces serías rico y poderoso como yo.

–¿Y que haría entonces? –preguntó de nuevo el pescador.

–Podrías sentarte y disfrutar de la vida –respondió el hombre emprendedor.

–¿Y qué crees que estoy haciendo en este preciso momento? –respondió sonriendo el apacible pescador".

La línea de la vida

El educador solicita a los participantes que tracen en un folio, en posición horizontal, una línea, en el centro del mismo y de izquierda a derecha, que la cruce. Les pide que, con pequeños trazos verticales, sitúen los dos extremos de la línea. El trazo de la izquierda representa el momento del nacimiento, bajo el cual escribirán el año.

En el trazo del otro extremo (derecha) se representa el momento de la muerte. Se les sugiere que escriban un año aproximado, como si vivieran 85 años.

En un tercer momento, trazarán el momento actual con la correspondiente fecha debajo de la señalización.

En la parte superior de la línea se les va a pedir que escriban palabras que reflejen las siguientes realidades:

En el tramo que va desde la fecha de nacimiento hasta el momento actual escribirán todo lo que aprendieron: valores, normas, pensamientos, modos de ver la vida, ideologías,...

Sobre la fecha actual, anotarán palabras que representen lo qué se cree que se ha logrado hasta ahora; cómo viven actualmente: qué piensan y sienten; cómo ven la vida y sus relaciones; hacia dónde se dirigen;...

Sobre el tramo que va de la fecha actual al momento de la muerte, indicarán algunos deseos, aspiraciones, vivencias que quieran cumplir o experimentar antes de la muerte.

Una vez acabado el trabajo personal se comparte en grupo y se dialoga sobre él. Una vez que todos han expresado a los demás su reflexión el educador plantea el siguiente interrogante para el debate:

- *¿En qué aspectos notamos si hay continuidad entre nuestro pasado, nuestro presente y futuro en la línea de la vida?*
- *¿Qué podemos hacer en el presente, con lo que aprendimos en el pasado, para que se cumplan nuestros sueños de futuro?*

Sólo te quedan seis meses

Se recrea con el grupo una situación en la que van al médico por una dolencia y éste les comunica que solo le quedan seis meses de vida. Han de describir en un papel cómo cambiaría su vida esta noticia. Que lo hagan de forma lo más realista posible: no se tratan de que se conviertan en vividores fantasiosos.

El educador les cuestiona lo siguiente, una vez hayan contestado en el papel: "Si ustedes desean cambiar su vida de esa forma, *¿Qué les impide vivir así ahora?"*

El cuestionamiento del educador se reflexiona y dialoga en grupos.

Es aconsejable que, desde el inicio de la dinámica, se les pida a los participantes que se metan en situación y eviten salirse de ella con mecanismos de distracción que le impiden la profundización.

9. PROTEGERME ANTE EL MIEDO

> **Objetivo**: reflexionar sobre las situaciones que generan inseguridad y miedo en mi entorno y en sus vidas. Indagar y descubrir mecanismos asertivos de protección y defensa como alternativa a la pasividad o la agresividad.
>
> **Material necesario**: cartulinas y rotuladores.
>
> **Película**: "American History X" (Tony Kaye; 1998).

El miedo en mi barrio-pueblo-ciudad

Se hacen grupos de 6-8 personas y cada uno coge dos cartulinas. En la primera, se plasman con palabras y dibujos, después de hacer la lluvia de ideas, la siguiente reflexión:

¿Por qué realidades la gente de mi barrio (población) se siente insegura? ¿Qué cosas creo que les dan miedo?

En otra cartulina se recoge después las opiniones a la siguiente pregunta:

¿Qué necesita la barriada para nos sintamos más seguros? ¿Cómo me gustaría que fuese mi barriada?

Cuando hayan finalizado, todos los grupos ponen en común las cartulinas. Se habrá elegido un portavoz en los grupos para cada cartulina (2 por grupo). Primero, exponen todos la primera cartulina y después exponen la segunda.

Cuando tengo miedo, me defiendo

Cada uno coge un folio y lo divide en tres partes (trazando una Y sobre él). En el triángulo superior expresarán dibujando el día que sintieron más miedo en su vida.

En el triángulo inferior izquierdo que pongan palabras que representen la siguiente cuestión: ¿Qué cosas me preocupan, me dan miedo, me crean inseguridad?

En el triángulo inferior derecho que escriban palabras que expresen la siguiente cuestión: ¿Cuál es mi forma de protegerme? ¿Cómo me defiendo de las cosas o personas que temo?

Será adecuado que al final de la puesta en común de los folios, el animador provoque un debate sobre formas de afrontar los miedos, las crisis, las dificultades y que son alternativas a aquellas expuestas que puedan ser inadecuadas.

- Importancia de saberse autocontrolar.
- El diálogo como alternativa a la violencia.
- Saberse reconciliar con el otro.

- "Contar hasta diez".
- Saber quitarse de en medio para evitar males mayores.
- ...

10. APRENDER A ESCUCHARME EN LOS BUENOS Y LOS MALOS MOMENTOS

> **Objetivo**: vivenciar la experiencia de detenerse a escucharse a sí mismo en las experiencias más significativas de su vida. Ya sean acontecimientos que los valoren como positivos o negativos. Descubrirles la importancia de no dejarlos pasar; de detenerse ante ellos y sacarles el máximo partido posible.

Mi ángel y mi demonio

Como en los dibujos animados podemos jugar con esas figuras de ángel y demonio que, en muchas ocasiones, hemos visto aconsejando sobre los hombros del personaje en un sentido o en otro.

Todos hemos vivido esa experiencia en más de un momento, y no sólo cuando se trataba de un dilema moral. Cuando nos sentimos eufóricos parece que nuestro "ángel" no hace más que transmitirnos mensajes muy positivos; en los malos ratos siempre hay una voz "diabólica" que nos hace pasarlo mal.

Esto hace que, con cierta frecuencia, nuestro estado de ánimo tenga subidas o bajadas que provocan una fluctuación de nuestra personalidad que termina incomodándonos.

Este ejercicio nos permitirá identificar estas experiencias y obtener cierto control sobre ellas.

En una hoja dividida con una línea vertical, pintamos un angelito en la esquina superior izquierda y un simpático demonio en la esquina superior derecha.

Escribir en el lado izquierdo cómo se siente, piensa y actúa cuando uno está bien consigo mismo. En el lado derecho, cómo se siente, piensa y actúa cuándo está mal consigo mismo.

Se les debe pedir a los participantes que observen esos dos estados como parte de ellos mismos. Se les explica, como es obvio, que no son dos personalidades contrapuestas sino que somos nosotros mismos quienes nos mandamos esos mensajes.

Por eso mismo, vamos a abrir canales de comunicación entre ellos. Ahora se les solicita que dibujen aperturas en el trazo que separaba uno de otros, a modo de huecos que abren la posibilidad de comunicación del lado derecho con el izquierdo.

Se les plantean los siguientes interrogantes:

- *Cuando estamos eufóricos y solo nos decimos cosas positivas; ¿qué podría aportar el simpático diablillo para que bajáramos de las nubes y tuviésemos una noción más realista de lo que estamos viviendo?*
- *Cuando estamos bajo de ánimos o "depresivos", y sólo nos escuchamos frases negativas; ¿qué podría aportarnos el angelito, que fuese un mensaje realista, pero que nos hiciese ver que no todo es tan oscuro como lo vemos?*

Esas frases se escriben en los huecos que hemos abierto, trazando bajo lo que escribimos la dirección de influencia con una flecha (si es del ángel al demonio, se pintarán una flecha que vaya de la parte izquierda del folio a la derecha; si es al contrario la flecha irá en la dirección opuesta).

Compartir en grupos de 4 a 6 miembros el trabajo realizado. Se indica al grupo que comparta con todo el grupo las experiencias y conclusiones de este ejercicio. Que quede claro lo aprendido sobre la importancia de escucharnos adecuadamente para no caer ni en el pesimismo ni en el triunfalismo y la euforia. Una visión realista de nosotros y de lo que nos acontece es clave para una adecuada autoestima.

¿A cuál alimentas? (Autor desconocido)

"Un anciano indio describió una vez sus conflictos interiores:

–Dentro de mi existen dos cachorros. Uno de ellos es cruel y malo, y el otro es bueno y dócil. Los dos están siempre luchando...

Entonces, le preguntaron cuál de ellos era el que acabaría ganando.

El sabio indio guardó silencio un instante, y después de haber pensado unos segundos respondió:

–Aquel a quien yo alimente".

11. APRENDER DE LAS MALAS EXPERIENCIAS

> **Objetivo**: reflexionar cómo los acontecimientos aparentemente negativos nos ofrecieron una enseñanza para nuestra vida actual o, incluso, los vivimos hoy de manera distinta a como lo percibimos en su momento.
>
> **Material necesario**: cartulinas y rotuladores.

"¿Mala suerte?, ¿Buena suerte?"

"Una historia china habla de un anciano labrador que tenia un viejo caballo para cultivar sus campos.

Un día, el caballo escapo a las montañas. Cuando los vecinos del anciano se acercaban para condolerse con él y lamentar su desgracia, el anciano les repitió: ¿Mala suerte, Buena suerte?; ¿Quién sabe?

Una semana después, el caballo volvió con una manada de caballos salvajes. Entonces los vecinos felicitaron al labrador por su buena suerte. Este les respondió: ¿Mala suerte, Buena suerte?, ¿Quién sabe?

Cuando el hijo del labrador intentó domar uno de aquellos caballos salvajes, cayó y se rompió una pierna. Todo el mundo consideró esto como una desgracia. No así el labrador que se limitó a decir: ¿Mala suerte, Buena suerte?; ¿Quién sabe?

Unas semanas mas tarde, el ejército entró en el poblado y fueron reclutados todos los jóvenes que se encontraban en buenas condiciones. Cuando vieron al hijo del labrador con la pierna rota, lo dejaron tranquilo. ¿Había sido Buena suerte?, ¿Mala suerte?, ¿Quién sabe?

Todo lo que a primera vista parece un contratiempo puede ser un disfraz del bien. Y lo que parece bueno a primera vista puede ser dañino. Así pues, sería una postura sabia que contemplemos las cosas y los acontecimientos de nuestra vida como oportunidades para algún bien, más que una amenaza del mal" (Autor desconocido).

El educador después de que se lea el cuento comenta una anécdota personal donde lo que aparentemente le resultó "malo" en su vida, poco después le trajo consecuencias positivas.

Les pide a los miembros del grupo que intenten recordar una propia o de alguien conocido y la comenten.

En un segundo momento el educador profundiza un poco y ahora cuenta una experiencia "negativa" y de la que extrajo un aprendizaje para la vida, cómo esa experiencia le ayudó a crecer y a madurar a pesar de ser dolorosa. Y, de nuevo le vuelve a pedir a los componentes del grupo que comenten alguna experiencia propia que les sirviera para madurar.

12. QUE MI PENSAMIENTO NO ME HAGA DAÑO

Objetivo: comprender y vivenciar que nuestro pensamiento puede, en ocasiones, perjudicarnos a la hora de interpretar un acontecimiento de nuestra vida. Buscar la forma de comprender la realidad desde otros puntos de vista, desde posturas que nos ofrezcan una visión más positiva y menos dañina.

Material necesario: hacer con cartulinas o alambres distintas gafas que se puedan colocar los participantes.

A tener en cuenta: se harán tantas gafas como personajes queramos interpretar a la hora de visionar los acontecimientos. En el ejercicio se ofrecen algunos, pero la creatividad del animador puede dar lugar a más.

Otros recursos: hay muchísimas técnicas y ejercicios basados en las Técnicas de detención del pensamiento. Podréis encontrar ejemplos en libros de habilidades sociales, autocontrol emocional y autoayuda.

"La vida es fascinante: sólo hay que mirarla a través de las gafas correctas" (Alejandro Dumas).

La óptica: gafas a medida

El educador plantea a los participantes del grupo que escriban, en la parte superior de un folio, un acontecimiento de su vida que, al pensar en él, les angustia o inquieta considerablemente.

Se le reparten a cada miembro unas gafas que llevarán un número escrito en un lugar visible. En una pizarra o en un mural, que todos puedan visionar, el animador habrá colocado la función que cumple cada una de las gafas asociadas al número que poseen:

Gafas de la tolerancia.
Gafas del optimista.
Gafas de la desconfianza.
Gafas del pesimista.
Gafas del que ve la culpa siempre en los demás.
Gafas del criticón.
Gafas del pacífico.
Gafas del...

El educador podrá crear todas las gafas que crea necesarias, incluso repetidas, para que todos posean una.

Se les pide que pasen el folio con su experiencia escrita al compañero de la derecha. Cuando éste recibe el papel, lee lo que han escrito en él y le escribe a su compañero un mensaje en función del rol que le ha tocado desempeñar por la gafa que lleva puesta.

Cuando todos han finalizado, pasan la hoja al compañero de la derecha de nuevo (todos a la vez) y las gafas que tenían se la pasan al compañero de la izquierda. Vuelven a repetir la operación con el folio nuevo que les ha llegado y con la nueva mirada que le produce su gafa nueva.

No es necesario que todos los folios pasen por cada uno de los miembros del grupo; mucho menos si el grupo es numeroso. Cuando el educador estime que ya se han escrito suficientes mensajes se devuelven los folios a los propietarios del mismo.

Cada uno leerá los mensajes que se le han escrito y escribirá al final del folio una conclusión sobre lo que se le ha comunicado.

En grupo, se puede dialogar sobre cómo cada uno se ha sentido al leer los mensajes; al visionar con las distintas gafas los problemas de los demás; cómo le ha cambiado el estado de ánimo el colocarse gafas distintas a la hora de leer los acontecimientos;...

Es aconsejable que las gafas positivas se intercalen, en las posiciones de los miembros del grupo, con las más negativas; así impediremos que haya miembros que sólo reciben mensajes más optimistas y otros menos animosos.

Una hoguera a los malos pensamientos

En grupos se les explica que nuestros pensamientos no somos nosotros mismos: aunque nuestros pensamientos están en nuestra mente, no somos nosotros, ni tan si quiera nos definen. Podemos deshacernos de ellos, apartarlos siempre y cuando no nos resulten útiles. Tenemos a nuestro alcance cambiarlos por pensamientos más positivos que nos hagan ver la realidad de una manera más constructiva.

Se les pide que en papeles pequeños escriban pensamientos que, habitualmente, les hacen daño; les angustian; les deprimen; no les permiten ver la realidad de una forma más limpia y sana. Pensamientos del tipo: "No valgo nada; Todo el mundo me odia; Soy un inmaduro;...". Este ejercicio será anónimo, no se compartirá con el grupo. Es aconsejable transmitir esta idea para que así puedan escribir sin temor a hacer a sentirse avergonzados.

Una vez que todos han escrito varios papeles, se enciende un fuego en medio del salón (en un cubo metálico por ejemplo) y se les da la consigna de ir tirando los papeles al fuego a la vez que interiormente se deshacen de esos pensamientos.

El ejercicio deben hacerlo en silencio, meditando y profundizando en el gesto que están haciendo. Se les motiva a que experimenten el hecho de ser capaces de deshacerse de esos pensamientos negativos.

Se puede hacer un gesto, con más o menos solemnidad, de "incineración" de nuestros malos pensamientos y, si el lugar lo permite, se puede buscar un lugar donde arrojar las cenizas de nuestros malos pensamientos.

Al final, se puede provocar las expresiones de alegría por una despedida tan grata (ya sean aplausos, gritos, risas,...).

El grupo se reúne para comentar como se sintieron en la experiencia. Si a alguno le apetece puede comentar algo que escribió y cómo vivió el hecho de quemar eso que había copiado en el papel.

13. SER IGUAL, SER ESPECIAL

Objetivo: descubrir que todas las personas tenemos muchos elementos en común a la vez que cada ser es especial y único.

Material necesario: folios, lápices, rotuladores de colores.

A tener en cuenta: esta técnica ofrece múltiples variantes: se puede cambiar el paisaje por toda aquella realidad que suponga un sistema complejo de elementos en interdependencia: un cuerpo; un barco; una nave espacial; cualquier vehículo; un edificio;... Sólo hay que dar contenido a los distintos elementos para que se cumpla el mismo objetivo.

Películas: "Powder. Pura Energía" (Victor Salva; 1995);
"Jack" (Francis Ford Coppola; 1996).

"Todos los hombres estamos hechos del mismo barro, pero no del mismo molde" (Proverbio Mexicano).

Si yo fuese un paisaje...

De forma apaisada, en un folio, dibujarán un paisaje. Se les demanda que dicho dibujo sea rico en detalles y elementos. No se trata de hacer una obra de arte, no se evaluará lo estético. El dibujo debe representar la idea del título de la técnica: "Si yo fuese un paisaje..."Cada elemento del dibujo debe tener un contenido, debe ser pintado por alguna razón que explique algo de nosotros mismos, de nuestra personalidad. Puede ser un paisaje nocturno o diurno; atardeciendo o amaneciendo; rural o urbano; nevado o en primavera; pero cada elección sobre el dibujo obedecerá a algo que nos define en estos momentos.

El dibujo debe ir firmado con letra clara y legible.

Cuando se han finalizado los trabajos, se exponen en la sala como en un Museo. Los integrantes del grupo pasearán por él contemplando todos y cada uno de ellos. Se les invita a que intenten descubrir que les ha querido transmitir el autor.

Se les pide también que procuren descubrir que cosas tienen en común los paisajes que están mirando y qué cosas les parecen extraordinarias y únicas.

Acudimos al grupo y comentamos la experiencia: tanto el hecho de cómo me sentí al hacer el dibujo, como al contemplar los paisajes de los demás.

El animador puede sugerir las siguientes cuestiones:

- *¿Qué tenemos en común?*
- *¿En qué aspectos nos diferenciamos? ¿Qué elementos nos hacen únicos y especiales?*

14. SIENTO, LUEGO EXISTO

> **Objetivo**: aprender a describir y a expresar sentimientos; reflexionar sobre cómo nos hacen comportarnos y establecer conductas alternativas asociadas al autocontrol emocional.
>
> **Material necesario**: pizarra o papel continuo grande. Fotocopias de "El cuadrante de los sentimientos" para cada participante.
>
> **Película**: "El hombre bicentenario" (Chris Columbus; 2000).

"El cuerpo humano es el carruaje; el yo, el hombre que lo conduce; el pensamiento son las riendas, y los sentimientos los caballos" (Platón).

El cuadrante de sentimientos

Cuando siento...	¿Cómo actúo? ¿Cómo me comporto? ¿Qué reacciones me produce?	¿Qué me impide controlar esas reacciones?	¿Qué podría hacer para tener un cierto control sobre lo que estoy sintiendo?
Dolor, pérdida, daño.			
Ansiedad, Temor.			
Rabia, Coraje.			
Culpa			
Depresión, Tristeza.			
Impotencia.			
Vergüenza.			
Alegría, placer.			
Amor, cariño.			
...			

Se completa el cuadrante personalmente y se comenta en grupo.

Hablemos de lo que sentimos

El animador pide a los participantes realizar una "lluvia de ideas" sobre los sentimientos que experimentan con más frecuencia. Se escriben en una pizarra o en un papel continuo grande. Los sentimientos más comunes suelen ser: alegría, rabia, miedo, ansiedad, inferioridad, superioridad, tristeza, satisfacción, bondad, resentimiento, depresión, amor, vergüenza,...

Se constituyen grupos de 5 a 8 personas y se les pide que cada uno vaya expresando un sentimiento de los que ha salido en la lista de forma teatral. Se realizan dos o tres ruedas completas de participantes.

Al terminar de expresar los sentimientos todos los miembros del grupo analizan cuáles son los sentimientos que mejor expresan y en cuales tienen mayor dificultad.

Se abre el diálogo en torno a estas cuestiones:

- *¿Qué sentimientos están más permitidos expresar en nuestra cultura y cuáles menos?*
- *¿Cómo me ha influido mi familia, la escuela, los amigos a la hora de expresar o bloquear determinados sentimientos?*
- *¿Cuáles expreso con más facilidad y cuáles me cuesta más?*
- *¿Qué puedo hacer para aprender a reconocer mis sentimientos y expresarlos adecuadamente?*

15. DESCARGAR LAS TENSIONES

> **Objetivo**: aprender a gestionar los sentimientos que nos tensionan. Dejar a un lado los problemas que descentran para afrontarlos en su momento adecuado.
>
> **Material necesario**: papel y material para dibujar.
>
> **Otros recursos**: hay multitud de libros que exponen distintas técnicas de relajación para disminuir las tensiones. En la bibliografía aparecen algunos de ellos. El educador debe conocer qué tipo de ejercicios de relajación son los más adecuados para su grupo o saber adaptar los que existen a los participantes.

El árbol de los problemas (Autor desconocido)

"El carpintero que había contratado para ayudarme a reparar una vieja granja, acababa de finalizar un duro primer día de trabajo. Su cortadora eléctrica se dañó y le hizo perder una hora de trabajo y ahora su antiguo camión se negaba a arrancar.

Mientras lo llevaba a casa, se sentó en silencio. Una vez que llegamos, me invito a conocer a su familia. Mientras nos dirigíamos a la puerta, se detuvo brevemente frente a un pequeño árbol, tocando las puntas de las ramas con ambas manos.

Cuando se abrió la puerta, ocurrió una sorprendente transformación. Su bronceada cara estaba plena de sonrisas. Abrazó a sus dos pequeños hijos y le dio un beso a su esposa.

Posteriormente, me acompañó hasta el coche. Cuando pasamos cerca del árbol, sentí curiosidad y le pregunté acerca de lo que lo había visto hacer un rato antes.

'Oh, ese es mi árbol de problemas', contestó.

'Se que yo no puedo evitar tener problemas en el trabajo, pero una cosa es segura: los problemas no pertenecen a la casa, ni a mi esposa, ni a mis hijos. Así que simplemente los cuelgo en el árbol cada noche cuando llego a casa. Luego en la mañana los recojo otra vez'.

'Lo divertido es', dijo sonriendo, *'que cuando salgo en la mañana a recogerlos, no hay tantos como los que recuerdo haber colgado la noche anterior'"*.

En un folio pueden dibujar nuestro propio "árbol de los problemas": sobre él colocaremos en distintos lugares los problemas que hemos tenido ese día (o los del día anterior en el caso de que el ejercicio se realice por la mañana).

Se pueden colocar los problemas en lugares significativos del árbol en función del contenido que le demos a cada una de sus partes:

En la raíz: los problemas más apegados a nosotros; están en la base de muchas cosas que nos suceden.
En el tronco: los problemas más graves, con más relevancia que me hayan sucedido ese día.
En las ramas: aquellas dificultades más leves pero molestas que me han estado afectando.

El educador puede pedir, siguiendo la metáfora del cuento, que dejen sus problemas en el árbol y que se dispongan a encarar el día, el resto del trabajo grupal, la jornada de trabajo, con una actitud más positiva.

Si el grupo fuese poco numeroso y hubiese un grado considerable de confianza entre los miembros, se les puede pedir que se pasen entre ellos los folios y se escriban, por detrás, algún mensaje dirigido a la persona que ha dibujado el árbol que acaban de contemplar.

Se les puede invitar a los participantes a tener en casa un "árbol de los problemas" y repetir cada día este ejercicio hasta que hayan aprendido a interiorizarlo.

16. SER AUTÉNTICOS

> **Objetivo**: ayudar a manifestarse de forma auténtica; sin añadidos que engañen o confundan. Sentirse cómodos expresándose uno tal y como es. Descubrir que mecanismos usamos para no mostrarnos tal y como somos.
>
> **Material necesario**: un tetrabrik, papel para forrarlo, cinta adhesiva, rotuladores para pintar y escribir.

El tetra brik

Se les explica que un tetra brik es un envase opaco que no deja ver lo que contiene. En las paredes del envase suelen venir las características y componentes de su contenido que, en muchos casos, no nos creemos.

Vamos a hacer un tetra brik sobre nosotros mismos. Será distinto a los que vemos cada día: este será el envase de la autenticidad. Sólo dirá de nosotros la verdad. Nos hablará de forma veraz de nuestro contenido personal.

Para ello, los participantes cogerán el envase y lo forrarán de papel para poderlo dibujar y escribir sobre él. Se les pide que dibujen y escriban aspectos de su personalidad; que cuenten en esa información que ofrecen cómo se ven a ellos mismos.

Se puede dar pie al humor, pero sin perder de vista que, nada de lo que se comunique en el envase, puede ser mentira o estar siendo exagerado (por ejemplo: contiene un 75% de fidelidad a los amigos y un 60% de pereza en el trabajo).

Una vez finalizado el trabajo personal de elaboración del envase, se comparte en grupos y se dialoga.

Somos auténticos cuando...

El animador, en un segundo momento, puede suscitar el consiguiente debate:

- *¿Qué realidades nos permiten ser más auténticos en nuestras relaciones y cuáles menos?*
- *¿Cómo suelo revestirme cuando no quiero que me vean tal y como soy?*
- *¿Qué beneficios me reporta la autenticidad en mis relaciones personales y en la vida en general? ¿Qué consecuencias negativas me produce? ¿Cuál de ellos pesa más en la balanza?*

17. SER UNO

> **Objetivo**: tomar consciencia de que somos unidad; de que todas las áreas de nuestra personalidad deben estar integradas y en una adecuada comunicación para facilitar el proceso de maduración personal.
>
> **Material necesario**: folios y material para dibujar.

El excursionista

En el centro de un folio se dibuja un monigote que los represente, debe parecer un/a excursionista. El personaje se situará activo y caminando, como dirigiéndose hacia algún lugar. Se les plantea que todos vamos de excursión por la vida y que, para el camino, necesitamos llevar utensilios que nos faciliten la aventura. Cada uno lo expresará a su estilo, pero debe reflejar con claridad que son ellos mismos.

A ese personaje vamos a irle añadiendo algunos elementos que simbolicen aspectos que queremos aflorar de cada uno de ellos. El animador les dice que los incorporen al dibujo. Esos elementos servirán para contestar preguntas asociadas a ellos. Sirvan estos como ejemplos:

- Una piedra en el camino: ¿Qué te puede hacer tropezar en tu vida?
- Un teléfono móvil en la cintura: ¿A quién lanzas tus llamadas? ¿Quién te suele llamar?
- Un escudo de equipo deportivo en la camisa o chaleco: ¿Con quién formas equipo más a gusto?
- Una gotita de sudor en la frente: ¿Qué te cansa, agota o deprime?
- Una cantimplora: ¿Qué es lo que te mueve?
- Una papelera en el camino: ¿Qué dejarías atrás en tu vida? ¿A qué renunciarías?
- Un bastón en la mano: ¿Sobre qué cosas te apoyas?
- Viento en contra o a favor: ¿Qué te impide/facilita el camino?
- Una brújula: ¿Qué usas para orientarte?
- Un corazón: ¿Cómo te sientes en el camino de tu vida?
- Una gorra: ¿Qué temes que te pueda herir?
- ... (se pueden añadir más).

En la excursión de nuestra vida, con todo lo que hay de equipaje interno y externo, SOMOS UNO. Por ello, las distintas áreas de nuestro ser pueden entrar en conflicto, dificultando ese caminar; o, por el contrario, puede haber entre ellas una adecuada comunicación haciendo más fácil la aventura.

Las vamos a imaginar, ahora, dialogando entre ellas:

Mi mente, mi corazón, los valores que priorizo, mis inquietudes, mis ilusiones, mis virtudes y defectos,... ¿cómo ayudan o dificultan ese proceso de madurez personal? Cuáles entran en conflicto entre sí y de qué manera? ¿Cuáles se ayudan?

18. ABIERTOS A CRECER

> **Objetivo**: facilitar una buena actitud hacia el crecimiento personal. Ayudar a superar los miedos que les paralizan y apoyarse en las esperanzas y motivaciones que les impulsan.
>
> **Material necesario**: fotocopias del cuento. Pizarra o papel continuo grande.
>
> **Películas**: "Hook" (Steven Spielberg; 1991);
> "Descubriendo Nunca Jamás" (Marc Forster; 2004).

Mis temores y esperanzas

La semilla que no quería crecer (Autor desconocido)

"Hace bastante tiempo, no lo recuerdo muy bien, pasó un sembrador por esta tierra y fue dejando caer sus semillas. Con cariño les hablaba y decía una cosa a cada una:

Sé un árbol para que se posen en ti las aves del cielo.

Da buen trigo para que pueda el molinero hacerte harina y ser luego un hermoso pan.

Crece bien para soportar luego las dificultades.

Y aquel sembrador salía todos los días a ver crecer el campo y veía satisfecho como cada planta echaba sus tallos y sus hojas.

Sin embargo, entre todas aquellas plantas notaba la falta de una semilla que él había plantado, pero todavía no había salido a la luz. Todos los días esperaba verla aparecer con ansia.

Observando vio como dentro de la tierra se oía el rumor de la semilla que decía:

Sé que es hora de crecer, de salir de esta tierra que me rodea por todas partes, de dejar mis fuertes raíces aquí y salir a buscar otra vida. Pero ¿qué me pasará si salgo y no llueve suficientemente? ¡Me moriré de sed! ¿Y si hace mucho frío? ¡Me congelaré! ¿Y si hace mucho calor? ¡Me abrasaré! Puede que alguien me pise y me aplaste...

En otra ocasión se escuchaba como decía:

Yo quisiera ver el azul de 1 día, ser un árbol fuerte, dormir a la luz de las estrellas. Pero si salgo y las cosas van mal, todo se acabará.

Aquella semilla nunca se atrevía a crecer, hasta que un día, en medio de sus dudas y miedos recordó lo que le dijo el sembrador cuando la puso en tierra:

Crece porque te necesitamos.

Cuando recordó esto comprendió que no podía permanecer más tiempo encerrada. Se puso a crecer y experimentó la alegría del sembrador.

Tú eres como esa semilla. Has sido plantado en este gran teatro del mundo. Una semilla que ha de romper sus ataduras y crecer, salir de ti mismo, arriesgarte, confiar y crecer sacando a la luz todas las cualidades que llevas dentro".

Una vez leído el cuento se motiva a que cada uno escriba personalmente sus temores y esperanzas en relación a lo que supone para ellos el proceso de crecimiento personal.

El animador pide que cada cual escoja los dos temores y las dos esperanzas más importantes y las subrayen.

Se divide una pizarra en dos partes. La primera lleva el título de TEMORES y la segunda el de ESPERANZAS.

Se hace puesta en común de todo lo que ha escrito cada participante en cuanto a sus temores. El educador copia en la pizarra solamente los que eligieron como más importantes. Se repite la operación, en una segunda ronda con las esperanzas. Se señalan aquellas que se repiten para, al final, ver con qué frecuencia fueron elegidas.

El grupo debate sobre los resultados obtenidos:

- *¿Qué temores y esperanzas obtuvieron más elecciones?*
- *¿Qué nos impresiona más de los resultados obtenidos?*
- *¿Pueden más los miedos o las esperanzas?*

Un pensamiento alegre... ¡y podrás volar!

Para Peter, en la película "Hook", su pensamiento alegre es lo que le permite "volar", es decir, enfrentarse a la aventura de la vida. Para él ese pensamiento, es decir su motivación para crecer, serán sus hijos. Para la semilla del cuento es crecer porque se la necesita... Cada uno alberga en su corazón "pensamientos alegres" que nos impulsan, a pesar de las muchas dificultades, a emprender el camino de la madurez personal; que nos dan alas para volar.

Para el grupo:

- *¿Cuáles son nuestros "pensamientos alegres"? ¿Cómo nos ayudan a volar, a crecer?*

19. SACAR A LA LUZ MI IDEOLOGÍA

Objetivo: facilitar la expresión de las ideas y valores que dinamizan su existencia; su filosofía sobre la vida y las personas.

Material necesario: folios y material para dibujar.

La casa de tu vida

Se les pide que dibujen la casa de su vida. Han de usar los siguientes elementos para su construcción:

Las paredes pueden llevar ladrillos dibujados que expresen los valores sobre los que edifican su casa (dentro de cada ladrillo se puede escribir la palabra que refleje tal valor). Se les puede indicar también que, de abajo a arriba, coloquen esos ladrillos-valores en función de si son más o menos importantes para ellos. Los de abajo representarán los valores de más importancia. En definitiva, se trata de expresar la propia escala de valores, en el muro de ladrillo de las paredes de la casa.

Se pintarán las ventanas, grandes o pequeñas, en función de lo que uno deja ver de si y de lo abierto que está a que los demás contemplen su interior.

Una puerta: con muchas o pocas cerraduras; abierta, entreabierta o cerrada; que facilita la entrada o la dificulta;...

Un tejado que conforma sus proyectos de vida, lo que quiere ser en un futuro. Se pueden pintar algunas tejas (como en el caso de los ladrillos) que lleven en su interior palabras que respondan esta cuestión.

Una chimenea de la cual, en vez de salir humo, salen ideas, pensamientos, frases que lo identifican,...

Un cartel a la entrada que describa la filosofía de su vida. A ser posible, con alguna frase llamativa que la sintetice.

Árboles en el jardín que en su tronco lleven copiadas las ideas que se defenderían firmemente.

El resto de los ornamentos del jardín pueden representar a las personas importantes en su vida; las ideas y la gente que le agradan, y lo que más le gusta de ellas.

Se comparte y dialoga en grupos. Se pueden resaltar casas y comentar las distintas impresiones que han causado por parte los miembros del grupo.

20. SOY UN TESORO DE UN GRAN VALOR

Objetivo: descubrirse a sí mismo como una persona con un enorme valor. Caer en la cuenta del valor que tenemos para muchas personas que nos rodean. Ser conscientes de que nuestro valor está en quienes somos y no tanto en lo que hacemos o tenemos.

Material necesario: caja de zapatos o de cartón. Material para dibujar. Cartulinas y tijeras.

A tener en cuenta: querernos a nosotros mismos es la mejor forma de que otros nos quieran. Quererse a sí mismo supone cuidarse, protegerse, afrontar las dificultades para crecer como persona, convencerse de que uno merece la pena... Es hacer buena publicidad de nosotros mismos.

¿Cuánto valgo? (Autor desconocido)

"Alfredo, con el rostro abatido de pesar se reúne con su amiga Marisa a tomar un café. Deprimido, descargó en ella sus angustias... el dinero, el trabajo, la relación con su pareja, su vocación,... ¡todo parecía estar mal en su vida! Entonces,

Marisa introdujo la mano en su cartera, sacó un billete de 50 euros y le dijo:

—Alfredo, ¿tú querrías este billete?

Alfredo, un poco confundido al principio, inmediatamente le dijo:

—Claro, Marisa,... son 50 euros, ¿quién no las querría?

Entonces, Marisa tomó el billete en uno de sus puños y lo arrugó hasta hacerlo un pequeño bollo. Mostrando la estrujada pelotita a Alfredo volvió a preguntarle:

—Y ahora, ¿lo quieres igual?

—Marisa, no sé que pretendes con esto, pero siguen siendo 50 euros... ¡claro que las tomaría si me las entregas!

Entonces, Marisa desdobló el arrugado billete, lo tiró al suelo y lo restregó con su pie, recogiéndolo luego sucio y marcado.

—¿Lo sigues queriendo?

—Mira Marisa, sigo sin entender qué pretendes, pero ese es un billete de 50 euros y por más que haga conserva su valor.

—Entonces, Alfredo, por eso mismo debes saber que aunque a veces algo no salga como quieres, aunque la vida te arrugue o te pisotee, tú sigues siendo tan valioso como siempre lo has sido... lo que debes preguntarte es cuánto vales en realidad y no lo golpeado que puedas estar en un momento determinado.

Alfredo se quedó mirando a Marisa sin atinar palabra alguna, mientras el impacto del mensaje penetraba profundamente en él. Marisa puso el arrugado billete de su lado en la mesa y con una sonrisa cómplice agregó:

—Toma, guárdalo para que recuerdes esto cuando te sientas mal, pero... ¡me debes un billete nuevo de 50 euros para poderlo usar con el próximo amigo que necesite".

El cofre del tesoro

Con la caja de cartón construyen un cofre que les permita guardar cosas y que tenga una tapadera para abrirlo o cerrarlo. Si el tiempo lo permite, que lo dibujen por fuera dándole toda la apariencia de cofre de tesoro.

Las cartulinas nos servirán para hacer monedas, recortándola con las tijeras. Podemos usa otros materiales si estuviesen a nuestro alcance: cartón, chapas redondas sobre las que se pueda pintar;... Lo importante es darle forma de monedas para el interior del cofre.

En cada moneda escribirán palabras de cualidades, virtudes, destrezas y habilidades, ideales que le definen a cada uno de ellos. Deben intentar llenar su cofre de monedas.

Se colocan los cofres, con su nombre correspondiente, por la sala y pasean contemplando, con detenimiento, cada uno de ellos.

Para finalizar se puede leer el cuento. "¿Cuánto Valgo?". Y el educador invita al diálogo grupal:

- *¿Cómo se han sentido llenando su cofre de monedas?*
- *¿Qué cofre les ha gustado más?*
- *¿Han descubierto tesoros y monedas de valor en compañeros del grupo que desconocían?*
- *¿Qué reflexión hacen del cuento que se les ha leído?*

Capítulo II

Saber relacionarme y comunicarme

1. APRENDER A ESCUCHAR AL OTRO

> **Objetivo:** Experimentar la escucha profunda ante alguien que nos comunica una experiencia personal. Vivir la sensación de sentirnos escuchados cuando compartimos con alguien un acontecimiento de nuestra vida, nuestros sentimientos, las vivencias...
>
> **A tener en cuenta:** Este ejercicio conviene hacerlo en un lugar que sea cálido, sin demasiados ruidos externos. No es del todo imprescindible pero facilitaría mucho la consecución del mismo.
>
> **Película:** "Instinto" (Jon Tuteltaub; 1999).

"Nos han sido dadas dos orejas, pero sólo una boca, para que podamos oír más y hablar menos" (Zenón de Elea).

No hagas otra cosa que escucharme

Se agrupan por parejas. Cada uno desempeñará un papel que luego intercambiarán. Ambos piensan, durante unos minutos, en una historia pasada que le reportase un cierto sufrimiento.

En un primer momento uno de ellos contará la historia mientras el otro se limitará a escucharle sin poder hablar. Al que ejerce el papel de escuchante se le invitará a que practique una atención profunda; que ponga todos sus sentidos en lo que la otra persona quiere transmitirle. Para facilitarle su concentración, se le vendarán los ojos y se situarán sentados el uno frente al otro. Deben estar sentados de forma cómoda, evitando tensiones. Al comunicante se le pide que hable lo más claro posible, despacio y con voz suave.

Cuando haya concluido de hablar, dejarán un minuto de silencio. Se intercambiarán la venda de los ojos sin comentarse nada e intercambiarán los papeles.

Se les da a cada uno un tiempo aproximado de 5 minutos para contar su historia.

Cuando hayan finalizado se comparte en el grupo cómo se han sentido; qué les ha resultado más difícil (hablar o escuchar); qué cosas les impedía la escucha profunda; qué les incomodaba de la historia y les impedía una adecuada atención;... Si se sintieron adecuadamente escuchados, pueden también expresar cómo les hizo sentir esa experiencia; si están habituados a sentirse así cuando comentan sus experiencias más negativas; si les ha resultado una vivencia positiva y por qué razones;...

A este ejercicio se le puede añadir una variante: una vez que se ha realizado la dinámica anterior (ya sea el mismo día o en una sesión posterior), se puede repetir el mismo ejercicio, con otra persona y, en esta ocasión sin la venda en los ojos.

En la puesta en común grupal se repiten los mismos cuestionamientos y se compara con la experiencia anterior en la que tenían los ojos vendados.

2. SER UN BUEN COMUNICADOR

> **Objetivo:** Ejercitar el equilibrio entre escuchar y hablar. Facilitar instrumentos para una comunicación fluida y óptima.
>
> **A tener en cuenta:** Se pueden hacer múltiples formas de diálogo (en pareja, tríos, pequeños grupos) y designar observadores externos que posean la lista siguiente de actitudes comunicativas y, de esta manera, puedan evaluar a los componentes del grupo.

"El hombre es el único animal que come sin tener hambre, bebe sin tener sed y habla sin tener nada que decir" (Mark Twain).

Técnicas sencillas para ser un buen comunicador

El animador puede crear la situación grupal donde se ejerciten, observen y evalúen estas sencillas técnicas que son fundamentales en la relación comunicativa.

- Mirar a la otra persona (sin incomodar ni forzar).
- Dar señales, verbales y no verbales, de que se escucha a la otra persona ("Ajá", "hmm",...): asentir con la cabeza; fruncir el ceño en señal de atención; sonreír en los momentos adecuados; usar otra expresión que de la sensación que estamos recibiendo lo que el otro dice sin indiferencia.
- Escuchar para comprender lo que la otra persona le está diciendo realmente.
- No interrumpir. Respetar el turno (no interrumpir sin dejar al otro expresarse, a no ser que se sea necesario). No adelantarse a las palabras del otro como si ya supiéramos qué va a decir.
- Tomarse el tiempo necesario para procesar el significado del mensaje. No temer los silencios.
- Reflexionar sobre las palabras antes de responder.
- Hablar algo que está relacionado con lo que la otra persona dice o sino avisar de que cambiamos de tema ("cambiando de tema...", "aunque no tenga nada que ver con lo anterior...", "dejando el tema...", "si me permites ahora comentar otra cosa distinta...").
- Usar información sobre uno mismo y también la que se ha obtenido en la conversación basándose en preguntas y comentarios. Intercalar el escuchar a la otra persona con hablarle.
- Tratar de entender el punto de vista de la otra persona sobre lo que comunica. Tomar en consideración la situación y los sentimientos de su interlocutor.
- No hablar demasiado.
- Saber cuándo y cómo iniciar temas de conversación y cambiarlos cuando se vea pertinente.

- Pregunte sobre la otra persona.
- Responder de forma abierta –con algo más de un si o un no–.
- No piense que sus opiniones son estúpidas o sus conversaciones son aburridas, sino que cada cual debe cambiar la conversación si no le resulta grata.
- Abstenerse de criticar y de emitir juicios de valor.
- Verificar, en determinados momentos, si las personas participantes se encuentran a gusto en el proceso comunicativo.

3. DISFRUTAR DE LA COMUNICACIÓN

Objetivo: Enseñar a dar y recibir atenciones y caricias. Facilitar el gusto por las caricias relacionales, ya sean verbales o no verbales, y que tienen un fuerte carga comunicativa, emotiva y positiva.

Material: Sería aconsejable tener colchonetas o sillas cómodas. Antes de realizar la dinámica conviene pedir a los participantes que traigan ropa y calzado cómodo.

A tener en cuenta: Con grupos con poca apertura se puede manejar el masaje en los hombros y manos únicamente, en agrupaciones más reducidas. Se puede hacer en pareja con masaje más sencillos. Se puede poner de fondo una música relajante.

Un masaje relajante: un mensaje de caricias

Se forman grupos de cuatro a seis personas que han de ubicarse en un lugar cómodo y que facilite la tranquilidad y la ausencia de ruidos externos.

Una vez colocados todos los miembros se explica que la experiencia del masaje en grupo implica una actitud de confianza y abandono de la rigidez. Se motivará para que se superen los bloqueos iniciales (risas, timidez, contracciones,...), así, cada participante se hará más consciente de sí mismo; de los otros; de lo que le transmiten a través de las caricias y del masaje.

Explica también, que cada participante recibirá masaje por parte de los otros miembros de su grupo. El masaje durará el mismo tiempo para cada uno (el tiempo habrá de valorarlo el educador en función de las características del grupo: si el grupo es poco iniciado mucho tiempo podría resultar cansado y violento: si el grupo es experimentado poco tiempo podría dejar una leve sensación de frustración).

De esta manera, cada participante se tumbará o acomodará en la silla. Los demás darán el masaje. Uno se dedicará a la cabeza, otros dos a cada mano y otros dos a cada pie. Mientras el participante recibe su masaje, las posiciones no se rotarán. Es muy importante subrayar que deben intentar mostrar interés y cariño con el contacto. El participante que recibe el masaje deberá cerrar los ojos y tratar de alejar su rigidez, relajarse y disfrutar el masaje y las sensaciones que éste genere.

El educador avisará a los demás miembros del grupo cuando ha llegado el momento de cambiar las posiciones. Otro miembro del grupo pasará a la silla o colchoneta para ser masajeado y el resto volverá a realizar la misma función. La persona que, en primer lugar había recibido el masaje de sus compañeros pasa ahora a dar masaje. Así, hasta que todos hayan pasado por la misma experiencia.

Una vez que todos recibieron el masaje se dialoga sobre lo vivido y sentido. El educador puede plantear estas cuestiones para suscitar la expresión de vivencias:

Cuando se recibía masaje: ¿Cuáles eran sus sentimientos? ¿Se sintieron incómodos en algún momento? ¿Cuándo? ¿Cómo superaron este sentimiento? ¿Percibieron de los masajistas caricias positivas? ¿Qué sintieron al recibir masaje en tantos lugares al mismo tiempo?

Cuando se daba masaje: ¿Qué sintieron al masajear a su compañero? ¿Qué pensaron y sintieron mientras efectuaban el masaje? ¿Cómo trataron de mostrar su cariño y cuidado? ¿Estuvieron más cómodos dando o recibiendo masaje? ¿Por qué?

Un mensaje relajante: un masaje escrito

Se sitúa al grupo sentado en círculo. Se les pide que cojan un folio y lo partan en cuatro partes iguales (quedando así cuatro octavillas).

En cada una de los trozos de papel que les han quedado han de escribir un mensaje positivo a las personas que se les va a indicar. Ese mensaje no puede ser algo general, han de poner el énfasis en que sea una caricia mirando atentamente las cualidades de la persona a la que se dirige. Pueden hacerlo con un pensamiento sobre él; un pequeño poema, dedicarles una canción; ofrecerles un buen deseo;... En todo caso, se les pide un esfuerzo de creatividad en el gesto.

Cada miembro escribirá a su compañero que le ha tocado a la derecha; en la otra hoja de papel, a su compañero de la izquierda; y las dos restantes las dedicará a las personas que él desee, de forma voluntaria y por los motivos que quiera. De esta manera, garantizamos que todos los miembros del grupo, al menos, recibirán dos mensajes positivos.

Es aconsejable que los mensajes vayan firmados por la persona que los escribió con letra legible; así quien los recibe sabrá después quienes fueron cada uno de sus remitentes.

Cuando han terminado todos de escribir, en silencio, sin hablar entre ellos (de nuevo puede estar presente una música de fondo), se entregan los mensajes en propia mano. Se les sugiere a los miembros del grupo que no los lean hasta que no hayan vuelto todos a su sitio de origen.

Una vez sentados, se les invita a que lean sus mensajes escritos. (Siempre resulta agradable para el educador observar las expresiones faciales de los componentes del grupo en ese momento: rasgos de nerviosismo, emoción, satisfacción) que pueden comunicarse en un feedback posterior.

Se dialoga sobre la experiencia. Las preguntas de la técnica anterior son también muy sugerentes para este ejercicio y suscitan la comunicación de lo vivido.

4. ENRIQUECER MI COMUNICACIÓN NO VERBAL

> **Objetivo:** Descubrir la importancia de la expresión no verbal.
>
> **A tener en cuenta:** Se ofrecen varios ejercicios, cada uno de ellos con sus objetivos correspondientes que se irán señalando tras el título de la técnica.

"Si lo que vas a decir no es más bello que el silencio: no lo digas" (Proverbio árabe).

La mano a la nariz

Objetivo: demostrar que las acciones dicen más que las palabras.

Se colocan de pie los miembros del grupo formando un círculo donde el animador esté visible a todos. Este ejercicio requiere que el educador vaya haciendo aquello que va instruyendo a los miembros del grupo. Les pide que extiendan su brazo derecho, paralelo al suelo. Y les dice: "Ahora, formen un círculo con el pulgar y el índice". Mientras habla, demuestra cómo.

Continúa diciendo: "Ahora con rapidez y firmeza, llevarán la mano donde yo les indique. ¿Preparados? Lleven su mano a la Nariz".

Mientras decía esta última frase el animador ejecutaba la acción, provocando que los demás le imitasen. Sin embargo, el animador habrá colocado su mano en la oreja.

Si el ejercicio ha salido de la forma esperada, muchos de los miembros del grupo habrán colocado su mano también en la oreja repitiendo lo que el animador ha hecho. Algunos pueden haber corregido su acción sobre la marcha o en los segundos siguientes a darse cuenta de su error.

El animador podrá sacar una conclusión de lo que trata de probar: las acciones dicen más que las palabras; la comunicación no verbal tiene más fuerza que la verbal.

Para el diálogo:

- *¿Somos conscientes de que nuestra comunicación no verbal dice mucho más de lo que dicen las palabras? ¿Cómo podemos utilizar nuestra comunicación no verbal para un diálogo más óptimo?*
- *¿Qué tipo de conflicto puede provocar en las relaciones no saber manejar adecuadamente nuestra comunicación no verbal?*

Guardianes y prisioneros

Objetivo: ejercitar el prestar atención a los gestos y expresiones faciales. Identificar las habilidades para "escuchar" la comunicación no verbal.

El animador divide a los participantes en dos grupos. (El segundo grupo con un participante más). Les indica que, el primer grupo, representará a los "prisioneros", los cuales deberán estar sentados en las sillas. Deberá quedar una silla que permanezca vacía.

El segundo grupo representará a los "guardianes" que deberán estar de pie, detrás de cada silla sin tocar a su "prisionero". La silla vacía deberá tener también un guardián.

Se sientan todos formando un círculo que permita que todos puedan verse las caras perfectamente, sin obstáculos ni forzar posturas.

El "guardián" de la silla vacía deberá guiñarle el ojo a cualquiera de los prisioneros, el cuál tiene que salir rápidamente de su silla a ocupar la silla vacía sin ser tocado por su "guardián". Si es tocado debe permanecer en su lugar.

Si el "prisionero" logra salir, el "guardián" que se quede con la silla vacía es al que le toca guiñar el ojo a otro "prisionero".

El educador marca, de acuerdo a su conveniencia, el tiempo que durará el ejercicio. Se puede cambiar para que los "prisioneros" pasen a ocupar el lugar de los "guardianes" y viceversa.

Al término del ejercicio el animador dirige una discusión sobre las conductas y actitudes mostradas en el desarrollo del mismo.

- *¿Estuvimos bien atentos a la comunicación no verbal?*
- *¿Qué otro tipo de expresiones no verbales hemos contemplado en el rostro de nuestros compañeros (ya fuesen guardianes o prisioneros)?*

- ¿Qué elementos dificultaban la adecuada recepción del mensaje (guiño) y cuáles los facilitaban?
- ¿Por qué hay que estar atentos y saber escuchar, en la vida cotidiana, los mensajes no verbales que se nos transmiten?

El extranjero

Se forman grupos de 6 a 10 participantes. El animador elige un voluntario, por cada subgrupo, al que saca del salón donde se está reunido.

Los subgrupos se distribuyen por la sala en lugares independientes donde puedan trabajar. Cada subgrupo designará a un observador externo que reflejará la dinámica del grupo y emitirá un posterior feedback.

A los subgrupos se les comunica que va a llegar alguien del extranjero que quiere comunicarles algo. Ni el personaje en cuestión conoce el idioma común del grupo; ni el grupo entenderá el idioma en el que les habla el personaje.

El grupo debe resolver, de la manera que estime oportuna, la situación e intentar comunicarse con la persona que ha llegado al grupo.

A cada voluntario, fuera del salón, se le dice que piense en una situación o mensaje elaborado que quieran comunicar al grupo. Podrán hacerlo verbalmente, pero han de inventarse un idioma que no se parezca al común de todos para expresarse. Se les da la consigna de que tampoco podrán entender lo que los compañeros le dicen ya que tampoco entiende su idioma. Solo tienen el recurso de la comunicación no verbal.

Disponen de diez minutos para intentar comprenderse unos a otros. Los voluntarios entran en la sala y se incorporan a los subgrupos para comenzar la dinámica.

Una vez concluido el tiempo, el animador convoca a todos para dialogar y comentar la experiencia. Es el momento en que los observadores externos expliquen aquello que han estado contemplando y emitan sus opiniones al respecto. Para el debate se pueden sugerir los siguientes interrogantes:

- ¿Qué es lo que ha dificultado la comunicación?
- ¿De qué instrumentos nos hemos valido para facilitarla?
- ¿Cómo nos íbamos sintiendo a medida que pasaba el tiempo?
- ¿En qué si hemos conseguido entendernos y en qué aspectos no?
- ...

Se puede volver a hacer el ejercicio una segunda vez. En esta ocasión, se añade una variante: el voluntario que entra a comunicarse en el subgrupo sí conoce y entiende el idioma en el que le hablarán los compañeros; pero se mantendrá el hecho de que éste se expresará como extranjero.

Se dialoga sobre las diferencias de una dinámica y otra:

- ¿Qué ha cambiado? ¿Se ha mejorado la comunicación?
- ¿Ha ayudado en algo?
- En el proceso comunicativo, ¿cuál ha tenido más protagonismo: la comunicación verbal o la no verbal?

5. QUIEN TIENE UN AMIGO, TIENE UN TESORO

Objetivo: Vivir y experimentar el valor de la amistad. Descubrir la riqueza que aporta en nuestras vidas las relaciones humanas, especialmente aquellas que son más significativas y están cargadas de afecto.

Película: "La ruta hacia el Dorado" (Bibo Bergeron & Will Finn; 2000).

"No camines delante de mí, puede que no te siga. No camines detrás de mí, puede que no te guíe. Camina junto a mí y sé mi amigo" (Albert Camus).

Tú serás hoy, mi amigo/a del alma

Se organizan grupos pequeños, de cuatro a ocho miembros, y se les invita, a cada persona, a que recuerde amigos/as (de fuera del grupo o que están en él) que han sido o son muy significativos en sus vidas.

Se sientan en círculo donde todos puedan verse perfectamente. Cada uno sustituirá, mentalmente, a cada una de las personas del círculo por uno de esos amigos. Le pondrá su nombre e imaginará que lo tiene haciéndole compañía en el grupo.

El animador les dice que han de pensar qué le dirían a esos amigos; qué mensaje les gustaría comunicarles. Y les dice que la dinámica consiste en levantarse, de uno en uno, y dirigirse a cada uno de los miembros del grupo diciendo:

"Tú hoy eres mi amigo/a del alma... (Marta, Jesús, Cristina,...) y quiero decirte que... y que has aportado en mi vida...".

Repite esta operación con todos los miembros del grupo a los que habrá cambiado de nombre, asociándolos con sus amigos.

Una vez haya terminado el primero, continúan los demás componentes haciendo lo mismo.

Finalizada la ronda, se dialoga sobre lo que han sentido a la hora de transmitir sus mensajes a sus amigos e, incluso, en el momento de recibir mensajes de amistad que no iban dirigidos a ellos. Se puede sondear a los participantes el motivo de sus elecciones: puede ser que las personas designadas les recordasen a sus amigos.

El animador planteará la necesidad de cuidar a los amigos y de expresarles abiertamente los sentimientos. Les ayudará reconocer siempre lo mucho que les han aportado a sus vidas.

Un decálogo para la amistad

Por grupos pequeños hacen una lluvia de ideas sobre las cualidades de los "buenos amigos". Un portavoz toma nota de ellas en un folio y, una vez que tengan suficientes características que definen la amistad, elaboran con ellas un decálogo sobre la misma.

Cada subgrupo hará, pues, un decálogo que se pondrá en común en el grupo. Se les invita a la creatividad: pueden expresar las "leyes" de la amistad con tono de humor, poético,... pero que refleje lo que para ellos es realmente un amigo.

Se puede optar en el gran grupo por colocar en un lugar visible todos los decálogos, tras la puesta en común de los mismos; o por intentar hacer uno común de todos con lo mejor de cada uno de ellos.

Esta dinámica es fácil de adaptar en el caso de que el grupo sea pequeño y no permita la creación de subgrupos: se haría primero un trabajo personal y después se llevaría al grupo de la misma manera que en el proceso anterior.

Mis queridos amigos...

Esta dinámica requiere que se realice en el contexto de grupos pequeños, que favorezcan la intimidad. Implica tomar consciencia de que dentro del grupo es posible vivir una experiencia de amistad.

A cada participante se le pide que, en un papel, le escriban una carta abierta al grupo. Ha de empezar con el encabezado: "Mis queridos amigos" y se le deja a cada persona que plasme en libertad aquello que siente, vive y experimenta en las relaciones con los compañeros.

Cuando todos hayan finalizado, se sientan en círculo y van leyendo sus cartas. Mientras se invita a la escucha atenta y profunda por parte de los demás miembros.

Es aconsejable no comentar nada entre una lectura y otra; sino mantenerse en silencio y actitud de escucha.

Al finalizar se debe hacer un feedback de cómo se han sentido todos, tanto al leer como al escuchar las cartas.

El educador puede participar como uno más, si lo estimase conveniente, escribiendo y leyendo su propia carta al grupo.

La amistad... Un amor sin ataduras (Autor desconocido)

"Cuenta una vieja leyenda de los indios Sioux, que una vez llegaron hasta la tienda del viejo brujo de la tribu, tomados de la mano, Toro Bravo, el más valiente y honorable de los jóvenes guerreros, y Nube Azul, la hija del cacique y una de las más hermosas mujeres de la tribu...

–Nos amamos... –empezó el joven.

–Y nos vamos a casar... –dijo ella.

–Y nos queremos tanto que tenemos miedo, queremos un hechizo, un conjuro, o un talismán. Algo que nos garantice que podremos estar siempre juntos; que nos asegure que estaremos uno al lado del otro hasta encontrar la muerte.

–Por favor, –repitieron– ¿hay algo que podamos hacer?

El viejo los miró y se emocionó al verlos tan jóvenes, tan enamorados, y tan anhelantes esperando su palabra...

–Hay algo, –dijo el viejo– pero no sé... es una tarea muy difícil y sacrificada.

Nube Azul... –dijo el brujo– ¿ves el monte al norte de nuestra aldea? Deberás escalarlo sola y sin más armas que una red y tus manos, deberás cazar el halcón más hermoso y vigoroso del monte. Si lo atrapas, deberás traerlo aquí con vida el tercer día después de luna llena. ¿Comprendiste?

–Y tú, Toro Bravo –siguió el brujo– deberás escalar la montaña del trueno. Cuando llegues a la cima, encontrarás la más brava de todas las águilas, y solamente con tus manos y una red, deberás atraparla sin heridas y traerla ante mí, viva, el mismo día en que vendrá Nube Azul. ¡Salgan ahora!

Los jóvenes se abrazaron con ternura y luego partieron a cumplir la misión encomendada, ella hacia el norte y él hacia el sur.

El día establecido, frente a la tienda del brujo, los dos jóvenes esperaban con las bolsas que contenían las aves solicitadas.

El viejo les pidió que con mucho cuidado las sacaran de las bolsas.

Eran verdaderamente hermosos ejemplares.

–Y ahora ¿qué haremos?, –preguntó el joven– ¿los mataremos y beberemos el honor de su sangre?

–No –dijo el viejo.

—¿Los cocinaremos y comeremos su carne? —propuso la joven.

—No —repitió el viejo—. Harán lo que les digo: tomen las aves y átenlas entre sí por las patas con estas tiras de cuero. Cuando las hayan anudado, suéltenlas y que vuelen libres...

El guerrero y la joven hicieron lo que se les pedía y soltaron los pájaros. El águila y el halcón intentaron levantar vuelo pero sólo consiguieron revolcarse por el piso. Unos minutos después, irritadas por la incapacidad, las aves arremetieron a picotazos entre sí hasta lastimarse.

Este es el conjuro. Jamás olviden lo que han visto. Son ustedes como un águila y un halcón. Si se atan el uno al otro, aunque lo hagan por amor, no sólo vivirán arrastrándose, sino que además, tarde o temprano, empezarán a lastimarse el uno al otro.

Si quieren que el amor perdure... 'vuelen juntos, pero jamás atados'".

Capítulo III

Valores esenciales para vivir mejor

1. RESPETAR A LOS EDUCADORES Y ACEPTAR SU AUTORIDAD

> **Objetivo**: ponerse en el lugar de las personas que les han educado. Comprender que la relación educativa les requiere que respeten a sus educadores y acepten la autoridad que les viene dada por el papel que desempeñan.
>
> **Material necesario**: cartulina, Tijeras, pegamento de barra y material para dibujar.
>
> **Películas**: "El indomable Will Hunting" (Gus van Sant; 1997);
> "Rebelión en las aulas" (James Clavell; 1967);
> "Mentes Peligrosas" (John N. Smith; 1995);
> "Los chicos del coro" (Christophe Barratier, 2004).

Hoy te ha tocado a ti

La dinámica consistirá en escenificar un role playing donde se intercambiará el papel de uno de los miembros: a un voluntario se le pide que cumpla el hoy el papel de educador. (Según las características del grupo esta figura podrá ser: animador/a; padre/madre; profesor/a; monitor/a;...) Dispondrá de unos diez minutos para situarse con el grupo, desde ese papel, en una dinámica determinada.

El voluntario sale fuera del salón y el grupo prepara la puesta en escena: un conflicto en clase; un debate en una reunión; una postura de pasividad ante todo lo que el educador plantee;...

El animador le expresará al voluntario en qué contexto se encuentra y que tiene un tiempo limitado para cumplir su función. Le pide que entre al salón y que comience la dinámica.

Es recomendable que un par de componentes del grupo realicen la función de observadores externos y tomen nota de todo lo que acontece para luego facilitar un feedback.

Es lógico que, al principio, surjan risas y conductas de evitación. Es conveniente motivar adecuadamente la puesta en escena y la asunción del role.

Esta dinámica la pueden ir repitiendo otros componentes, para que así la experimenten la mayor parte de los miembros.

Una vez haya finalizado el role playing se facilita el diálogo y el debate. La aportación de los observadores será muy importante. Las personas que han teatralizado la figura del educador comentarán cómo se han sentido; qué han experimentado; qué dificultades han obstaculizado su actuación; cómo les hubiese gustado que respondiese el grupo con ellos;...

El animador conducirá, al final, la reflexión sobre si esto les ayuda a entender mejor a las personas que desempeñan las distintas funciones educativas en sus vidas. A ser posible, todos han de opinar al respecto.

Diana de los educadores

Con cartulinas y rotuladores se les pide que cada uno construya una gran diana (igual que las que hay para tiro al dardo). Todas deberán tener cinco círculos concéntricos.

En el interior del círculo central dibujarán el número 100; en el siguiente círculo el número 50; en el siguiente el 30; el 10 para el que viene después; y, en el último, no pondrán nada.

Se colocan, una vez terminadas, las dianas en distintos lugares del salón de forma visible para todos. Se les puede poner un cartel debajo con el nombre de su propietario para que sean perfectamente identificables.

En un segundo momento, se recortarán círculos con forma de moneda con la cartulina. Han de tener un tamaño inferior al círculo central de la diana. Se les pide que escriban dentro de esas monedas el nombre de los educadores más significativos de sus vidas; ya sean del pasado o actuales (padres, maestros, catequistas, monitores,...) y que los vayan colocando en el lugar de la diana según la puntuación que ellos le otorgarían en estos momentos.

En el círculo exterior de la diana escribirán palabras que expresen lo que aportaron estas personas a su educación. Una vez concluido el ejercicio, todos pasean por la sala contemplando las dianas de los compañeros.

El grupo se reúne y comenta la experiencia. Cada uno puede contar por qué ha colocado a esas personas con su puntuación correspondiente; qué aportaron en sus vidas; cómo se portaron o se portan ellos con sus educadores; cómo podrían pagar lo que han hecho por ellos; cómo se han sentido al hacer el ejercicio;...

En la misma dinámica de diálogo grupal pueden destacar aquellas dianas que les han llamado la atención o preguntar a sus compañeros por aquellas cosas que no les han quedado claras al contemplar su trabajo.

Se termina leyendo y comentando brevemente este poema: "Educar es dar vida".

> *"Educar es lo mismo que poner un motor en la barca.*
> *Hay que medir, pesar, equilibrar y poner todo en marcha.*
> *Pero para eso, uno tiene que llevar en el alma*
> *un poco de marino,*
> *un poco de pirata,*
> *un poco de poeta*
> *y un kilo y medio de paciencia concentrada.*
> *Pero es consolador soñar, mientras uno trabaja*
> *que esa barco, ese niño, irá muy lejos por el agua.*

*Soñar que ese niño llevará nuestra carga de palabras hacia puertos distantes, hacia islas lejanas.
Soñar que, cuando un día esté durmiendo nuestra propia barca,
en los barcos nuevos seguirá nuestra bandera enarbolada"* Gabriel Celaya.

2. APRENDER A ESPERAR

> **Objetivo**: descubrir la capacidad que tenemos para esperar; para ser pacientes con los acontecimientos y demorar las gratificaciones. Reflexionar sobre la importancia de este valor en el proceso de crecimiento personal.
>
> **Material necesario**: fotocopias del "Test del triunfador".

"Saber esperar es una virtud de los grandes triunfadores" (Autor desconocido).

Test del triunfador

Se invita a que respondan el cuestionario evaluándose en cada uno de los ítems con la siguiente puntuación.

Nunca o casi nunca: 1 punto.
Sólo en algunas ocasiones: 2 puntos.
Con frecuencia: 3 puntos.

- Suelo estar capacitado para padecer o soportar algo sin alterarme.
- Puedo hacer cosas pesadas o minuciosas.
- Tengo la capacidad de esperar cuando algo lo deseo mucho.
- Me gusta disfrutar del proceso antes de llegar a una meta.
- Puedo demorar las gratificaciones.

- Estoy sereno y tranquilo mientras espero.
- Vivo con calma cuando algo no ocurre cuando esperaba.
- Suelo pensar que mis esfuerzos tarde o temprano darán frutos.

Resultados obtenidos, para el diálogo grupal:

De 1 a 10 puntos: la paciencia es un ingrediente fundamental en la vida. En muchas ocasiones nos perdemos lo mejor de la existencia por no saber dar su tiempo a las cosas y a los acontecimientos. Debes cultivar la paciencia en tu proceso de crecimiento: ¡Y es una tarea urgente!

De 11 a 18 puntos: ¡Te has salvado por los pelos! Se nota que "saber esperar" te ha dado algunas gratificaciones en tu vida. Pero, aun así, tienes que seguir desarrollando esta destreza. Debes confiar que con el tiempo y una buena actitud muchos de tus esfuerzos dan frutos. Vas por buen camino.

De 19 a 24 puntos: ¡Magnífico! ¿Te has entrenado en algún templo del Tíbet? Mantente firme. Sabes manejar el tiempo a tu favor. No abandones esta virtud que has conseguido interiorizar en ti. ¡Eres un verdadero triunfador!

3. APRENDER A FALLAR, ASUMIR EL FRACASO

> **Objetivo**: reflexionar sobre nuestros errores; asumir que, en muchas ocasiones, es necesario enfrentarnos a nuestros fracasos para aprender.
>
> **Material necesario**: papel en formato A3. Rotuladores y material para dibujar. Revistas, tijeras y pegamento en barra.
>
> **A tener en cuenta**: es una dinámica necesitará mucho tiempo para su elaboración.

Sucesos desastrosos

El trabajo consiste en hacer un periódico de sucesos. Cada grupo dispondrá de un número determinado de papel en tamaño A3 (que al doblarlo por la mitad permitirá la formación del periódico en tamaño A4).

Se invita a la creatividad: pueden ponerle nombre al rotativo, portada,... Se les explica que va a ser un periódico de sucesos desastrosos: se trata de que en él aparezcan aquellos acontecimientos de nuestra vida en donde fallamos considerablemente, que supusieron para ellos fracasos estruendosos.

Para que cada grupo elabore su periódico, en un primer momento, se reunirán por parejas. Uno hará de periodista y otro de entrevistado. El segundo recordará una situación de su vida (más o menos reciente) en que sintiese que fracasaba ante un acontecimiento determinado. La persona que desempeñará la función de periodista se encargará de tomar nota para la redacción posterior en el periódico y de preguntar y cuestionar lo que estime necesario para aclarar la situación vivida.

El animador habrá dado la consigna a los periodistas de que intenten también extraer de sus entrevistados aquello que pudieron aprender de sus experiencias.

Una vez que han finalizado el trabajo por binas, se reúnen los grupos y, como si fuesen un equipo de redacción, elaboran el periódico. Han de resaltar, ya sea en los titulares o en cualquier apartado que estimen conveniente, lo aprendido de las distintas vivencias; lo que les ayudó a madurar o crecer; las lecciones aprendidas.

Cuando han concluido el trabajo se presenta en el gran grupo. Si el ámbito de trabajo lo permite, pueden colocar los periódicos en lugares accesibles para que los participantes puedan, más tarde, hacer una lectura personal de la revista elaborada.

El grupo dialoga y comparte lo vivido en la dinámica.

4. TENER BUEN HUMOR

> **Objetivo**: saber encontrar un lado positivo a cada percance de la vida. Verle el lado más sonriente. Permitirnos sonreír ante nuestras dificultades. Crear una actitud para el buen humor.
>
> **Material necesario**: platos de cartón, rotuladores y/o bolígrafos.
>
> **A tener en cuenta**: motivar para que no frivolicen con los problemas de los compañeros, sino que le busquen el lado positivo y el rostro de humor que presenta cada dificultad.
>
> **Película**: "Patch Adams" (Tom Shadyac; 1998).

"No se tome la vida demasiado en serio; nunca saldrá vivo de ella" (Elbert Hubard).

¡Póngame un plato de buen humor!

Se le entrega a cada miembro del grupo un plato de cartón y material para escribir. Se invita a que recuerden alguna situación que les ha resultado, recientemente, especialmente gravosa: algún conflicto vivido con alguna persona especial; una pequeña crisis a causa de algún acontecimiento; un mal momento que aún no se ha terminado de superar;...

Una vez que lo tienen definido, lo narran, con la mayor claridad posible, escribiéndolo en la parte superior del plato de cartón.

Se les pide que, todos a la vez, pasen el plato a su compañero de la derecha. Estos, al recibirlo, lo leerán detenidamente; intentarán entender lo que la persona ha querido comunicar; y le buscarán a la situación un enfoque positivo, cargado de humor, que invite a la sonrisa.

Le darán la vuelta al plato y, en algún espacio le comentarán lo que han reflexionado. Deben escribir con letra clara y firmando de forma legible su mensaje. Han de tener en cuenta no ocupar todo el espacio del plato porque han de escribir más compañeros.

El animador irá marcando los tiempos y el ritmo de la dinámica. Dará un tiempo determinado para que lean lo escrito y plasmen sobre el plato su mensaje positivo. Dará la consigna de que al dar una palmada todos volverán a pasar el plato a la derecha y repetir la operación. Se realizará tantas veces como el educador estime oportuno.

Si el grupo es pequeño, puede pasar cada plato por todos sus miembros. Si es muy numeroso, no será necesario.

Cuando finalicen, se le devuelve el plato a su dueño original que leerá todos los mensajes escritos.

En grupo se dialogará la experiencia: ¿Cómo se han sentido?; ¿les han aportado algo los mensajes?; ¿les han hecho sonreír?; ¿habían imaginado ver esa situación tal y como se la han hecho ver los compañeros?;...

5. CULTIVAR EL ESFUERZO

> **Objetivo**: valorar la importancia de sus esfuerzos. Ayudar a afrontar las dificultades propias o ajenas que les impiden la perseverancia y la constancia en la vida.
>
> **Material necesario**: fotocopias de los cuentos.
>
> **Películas**: "Hombres de honor" (George Tillman jr; 2000);
> "Billy Elliot" (Stephen Daldry; 2000).

Unos animalitos que nos hablan de la perseverancia

Carrera de sapos

"Érase una vez una carrera de sapos. El objetivo era llegar a una gran torre. Había en el lugar una gran multitud. Mucha gente para gritar y vibrar por ellos.

Y comenzó la carrera.

Pero como la multitud no creía que fuesen capaces de llegar a lo alto de la meta, lo que más se escuchaba era: ¡Qué pena! Esos sapos no lo van a conseguir. ¡No lo van a conseguir!

Los sapos comenzaron a desistir. Pero había uno que persistía y continuaba subiendo en busca de la cima.

La gente seguía comentando: ¡Qué pena! Es imposible que lo logren.

Y los sapos se iban dando por vencidos, salvo aquel sapo que seguía y seguía tranquilo, incluso, con más fuerza.

Ya llegando al final de la carrera, todos habían desistido, menos ese sapo que curiosamente, en contra de todos, siguió y pudo llegar a la meta con cierto esfuerzo.

Todos mostraron interés por saber cómo había podido llegar. Fueron a preguntarle y descubrieron que era SORDO" (Autor desconocido).

La mula y el pozo

"Se cuenta de cierto campesino que tenía una mula ya vieja. En un lamentable descuido, la mula cayó en un pozo que había en la finca. El campesino oyó los bramidos del animal, y corrió para ver lo que ocurría. Le dio pena ver a su fiel servidora en esa condición, pero después de analizar cuidadosamente la situación, creyó que no había modo de salvar al pobre animal, y que más valía sepultarla en el mismo pozo.

El campesino llamó a sus vecinos y les contó lo que estaba ocurriendo y les invitó para que le ayudaran a enterrar a la mula en el pozo para que no continuara sufriendo.

Al principio, la mula se puso histérica. Pero a medida que el campesino y sus vecinos continuaban paleando tierra sobre sus lomos, una idea vino a su mente. A la mula se le ocurrió que cada vez que una pala de tierra cayera sobre sus lomos.

¡Ella debía sacudirse y subir sobre la tierra!

Esto hizo la mula palazo tras palazo. ¡¡Sacúdete y sube. Sacúdete y sube. Sacúdete y sube!! Repetía la mula para alentarse a sí misma.

No importaba cuan dolorosos fueran los golpes de la tierra y las piedras sobre su lomo, o lo tormentoso de la situación, la mula luchó contra el pánico, y continuó sacudiéndose y subiendo. A sus pies se fue elevando de nivel el piso. Los hombres sorprendidos captaron la estrategia de la mula, y eso los alentó a continuar paleando. Poco a poco se pudo llegar hasta el punto en que la mula cansada y abatida pudo salir de un brinco de las paredes de aquel pozo. La tierra que parecía que la enterraría, se convirtió en su bendición, todo por la manera en la que ella enfrentó la adversidad.

¡Así es la vida!

Si enfrentamos nuestros problemas y respondemos positivamente, y rehusamos dar lugar al pánico, a la amargura, y las lamentaciones de nuestra baja autoestima; las adversidades, *que vienen a nuestra vida a tratar de enterrarnos, nos darán el potencial para poder salir beneficiados"* (Autor desconocido).

Para el diálogo:

- *¿Qué cosas nos dicen otros o nos decimos a nosotros mismos que nos impiden conseguir las metas? ¿Cómo podríamos hacernos los sordos a ese tipo de mensajes?*
- *¿Cómo actuamos ante las dificultades? ¿Nos pueden los nervios y la inquietud? ¿Somos capaces de establecer estrategias de afrontamiento?*
- *¿Sacamos provecho de las vicisitudes de la vida? El mero hecho de habernos esforzado; de no haber sucumbido al desánimo; ¿No es de por sí un provecho?*

El animador puede dar pie a que los miembros del grupo narren vivencias que han tenido parecidas a la de los cuentos. Que reflejen cómo se sintieron; qué pensaron; y qué aprendieron de ellas.

6. ORGANIZAR NUESTRO ALREDEDOR

> **Objetivo**: facilitarles una visión integradora y holística de todas las áreas de su existencia. Ayudarles a organizar su vida interna como epicentro de todo aquello que les rodea y que cumple un papel significativo.
>
> **Material necesario**: cartulina para cada participante. Papel, tijeras, pegamento de barra, revistas y periódicos.

Museo de Collages

El educador pide a los participantes que realicen un collage, en media cartulina aproximadamente, que les represente a ellos y el mundo que les rodea. Para ello, se le dan las siguientes pautas:

En el centro de la creación artística intentará representarse a sí mismos. Alrededor de ellos, se irán reflejando las actividades y personas más significativas de su vida: familia, amigos, escuela/trabajo,...

Se irán colocando, hacia el exterior, las otras áreas y relaciones de su vida en función de su importancia e influencia para ellos: actividades extraescolares, amigos esporádicos, familiares más distantes,...

Es importante darles la consigna de que la obra intente ser lo más clara posible. Para este cometido, pueden usar tanto los recortes de revistas como palabras, ya sean pegadas o escritas por ellos mismos.

Una vez finalizado el trabajo se exponen en el salón, donde el grupo está reunido, en un lugar visible. Encima del collage pondrán el nombre del autor (si así lo desean, pueden añadir algún título a la obra).

Una vez expuestos, los miembros del grupo pasearán por la sala contemplando las obras de sus compañeros intentando entender aquello que se les quiere comunicar.

Como cualquier obra de museo, podrán pedir aclaraciones a los artistas sobre el contenido y las intenciones expresivas de la obra.

Debajo de cada collage, se habrá colocado, fijado a la pared, un folio para que los que contemplan el trabajo puedan escribir las impresiones que éste les ha causado. Es una forma de devolverles un feedback a lo que la persona quiere expresar.

Una vez que el grupo ha terminado se hace un diálogo con el objeto de evaluar la experiencia y de aflorar los sentimientos y vivencias de los participantes.

- ¿Cómo de organizado está el entramado de nuestra vida? ¿Me siento el centro de mi propia existencia en torno a la cual están situadas mis relaciones y actividades?
- ¿Qué me ha impresionado más de mi collage al verlo terminado? ¿Y al contemplar el de mis compañeros? ¿Qué he concluido al comparar uno y otros?

7. SER HONESTO Y TRANSPARENTE

Objetivo: trabajar la importancia del valor de la honestidad y las consecuencias negativas que reportan las mentiras o manipulaciones de la verdad.

A tener en cuenta: el educador debe tener presente que la vida exige, en ocasiones, que una persona tenga que faltar a la verdad en pro del bienestar personal y colectivo. Por tanto, las actividades no deben llevar a una moralina poco útil; deben favorecer el valor de la honestidad adecuándolo a la propia realidad de la persona. La honestidad es un valor que ha de expresarse en el contexto de la relaciones asertivas.

Películas: "The Emperor's Club" (Michael Hoffman, 2002); "Pinocho" (cualquier versión).

"Con una mentira suele irse muy lejos, pero sin esperanzas de volver" (Proverbio judío).

Corre, ve y dile

Es una técnica parecida a la conocida de "El rumor". Salen cinco voluntarios fuera de la sala donde se encuentra el gran grupo. El animador dispone de algún texto que narre una pequeña historia (lo más fácil es utilizar un texto periodístico que cuente algún suceso).

Se hace entrar al primer voluntario y se le lee la noticia (de esta manera todo el grupo la escuchará también). A este participante se le pide que le lea la misma noticia al compañero que estará por incorporarse con una salvedad: en algún momento de la narración ha de cambiar, mintiendo, algún dato de la misma. El voluntario dispone de unos segundos para releer la noticia y decidir en qué lugar va a modificarla. Con un lápiz o bolígrafo hace la modificación sobre el texto escrito.

Entra el segundo compañero y escucha la historia. El animador le pide que realice la misma operación sobre el tercer compañero. Así cada uno de los voluntarios irá modificando un aspecto de la noticia original. Al último se le pide lo mismo y, éste, se la leerá al resto del grupo.

El animador lee la noticia original y, entre todos, contrastan las diferencias.

Es muy posible que, la noticia resultante, sea significativamente diferente a la original. El educador aprovecha para analizar con el grupo como, en la mayoría de las ocasiones, las pequeñas variaciones o "mentiras" de las cosas que nos contamos pueden acabar modificando sustancialmente la versión original.

Pillar el gazapo

Se hacen grupos de cinco personas. Se invita a que cada uno piense una historia sobre sí mismo: algún acontecimiento ocurrido en su vida; alguna experiencia importante; una historia anecdótica;... Han de elaborarla como si de una historia se tratase que tengan de narrar.

Si el animador lo estima oportuno, pueden hacerlo primero por escrito.

A cada uno de ellos se le pide, en un segundo momento, que añadan un gazapo a esa historia; es decir, que una pequeña parte de esa historia sea mentira.

Cuando han finalizado el ejercicio, se sientan en círculo. Comienza uno contando su historia y los demás le escuchan atentamente. Cuando ha acabado de narrarla los demás han de decir dónde cree que se encuentra el gazapo. El participante que contó su historia explicará cuál es el gazapo y así se descubrirá quiénes han conseguido averiguarlo y quiénes no.

Se repite la dinámica con todos. Cada uno va contando su anécdota y los demás han de tratar de descubrir el gazapo. Así hasta que finalicen todos.

El animador, entonces, abrirá la ronda de diálogo:

- *¿Ha sido fácil descubrir los gazapos? ¿En qué aspectos hemos encontrado la dificultad?*
- *¿Qué indicadores verbales o no verbales nos hacían sospechar la presencia de los gazapos?*
- *¿Cómo nos sentimos cuando escuchamos a alguien contarnos una historia y sentimos la presencia de algún "gazapo"?*
- *¿Incorporamos "pequeñas mentiras" a lo que comunicamos a los demás en nuestra vida cotidiana? ¿Con qué finalidad? ¿Cómo nos sentimos?*

Los efectos secundarios

Se invita a rellenar esta tabla con la mayor cantidad de ejemplos posibles. Se puede realizar individualmente y luego se comenta en grupos; o también se puede completar en grupos para debatirla posteriormente.

Mentimos cuando…	Beneficios que obtenemos	Efectos secundarios
Tenemos miedo a que nos ridiculicen.	Evitamos sentirnos incómodos y avergonzados.	En el fondo nos sentimos mal y si nos pillan la vergüenza es aun mayor.
…		
Decimos la verdad cuando…	Beneficios que obtenemos	Efectos secundarios
Me da miedo contar algo pero me arriesgo.	Me he quitado "un peso de encima".	Siento alivio y serenidad.
…		

Conviene que pongan varios ejemplos, sencillos y concretos, y reflexionen sobre sus beneficios, en cada uno de los casos, y los posibles efectos secundarios, más a medio o largo plazo, que pueden provocar.

Cuando han rellenado la tabla, se dialoga en grupo favoreciendo la interpelación y el feedback entre todos y cada uno de los participantes.

El grupo ha de llegar a conclusiones de consenso sobre las consecuencias de decir la verdad o de abusar de la comunicación deshonesta.

Si el grupo es grande, y el trabajo se ha realizado en subgrupos, las conclusiones las comunica un portavoz o se plasman en cartulinas para que pueda facilitar la puesta en común.

8. ALCANZAR OBJETIVOS

Objetivo: Ayudar a plasmar las estrategias que les motiven en la consecución de objetivos. Analizar los factores que favorecen o amenazan su motivación y gestionarlos adecuadamente.

Material necesario: Cartulina o papel continuo. Material para dibujar y pintar.

A tener en cuenta: Es importante plantearlo como un juego pero, en el trabajo grupal de puesta en común, traducirlo a la realidad y asumir los compromisos correspondientes.

El juego de consola

Los juegos de consola son extremadamente estimulantes; hasta el punto de enganchar y reforzar la consecución de logros para evitar el abandono. Algo así, pretendemos representar con esta actividad. Si somos capaces de trazarnos un objetivo, inserto en una adecuada estrategia (como las de las consolas), ese camino resultará más motivante.

El animador invita a que cada uno se plantee un objetivo personal que le resulta difícil de alcanzar por falta de motivación. Este objetivo ha de ser concreto y alcanzable. Se les sitúa en la actividad explicándoles que dicha Meta va a ser el final de un juego (a modo de consola) que cada uno va a construir. Por ejemplo: "Poder tener una comunicación más fluida con mis padres".

Una vez definido el objetivo; se les pide que dibujen el escenario del juego con la Meta final y el punto de partida. Cada uno podrá dibujarlo como crea conveniente: un laberinto, un camino, plantas de un edificio,...

En un segundo momento, definirán distintos Niveles (u objetivos intermedios) a los que han de llegar y que son paso previo para la llegada a la meta final. Esos Niveles han de estar vinculados a algún premio o recompensa que tendrán que decidir. Siguiendo el mismo ejemplo, podrían ser los siguientes:

Nivel 1: saludar cordialmente en los momentos de encuentro.

Nivel 2: iniciar algunas conversaciones en los momentos comunes.

Nivel 3: escucharles cuando me hablen.

Nivel 4: contarles cosas de mi vida.

Nivel 5: ser capaz de dialogar con ellos.

Para seguir completando el juego, el educador planteará las siguientes cuestiones que tendrán una expresión concreta en el panel del juego. La forma de expresarlo dependerá de la creatividad personal del participante.

En cada nivel, ¿Qué pequeñas gratificaciones puedes obtener a dar a medida que vas avanzando? (Pueden ser mensajes verbales; refuerzos materiales; gratificaciones con amigos;...).

¿Con qué obstáculos te vas a encontrar? (Deben definir los impedimentos tanto personales como situacionales que pueden hallar en el camino y que, de seguro, habrán de afrontar).

¿Qué armas necesitas para ir afrontando esas dificultades? (Se trata de concretar las destrezas y habilidades necesarias en cada paso que van dando).

¿Cómo vas a ir guardando cada partida? Es decir, ¿qué aprenderás de los pasos que des? (Es posible que no se llegue al final, pero es esencial que se aprenda lo más posible realizando el camino y que se disfrute de él).

...

Pueden añadir más elementos al juego, ya que en definitiva se trata de una estrategia de afrontamiento. Es tan importante el establecer bien la estrategia como, de forma transversal en la actividad, ir recordando que las metas difíciles resultan más estimuladoras si se es capaz de asumirla por etapas; si se establece una adecuada dinámica de automotivación mientras se realiza el esfuerzo; si se disfruta del proceso y uno aprende a "ponerse las pilas" en el camino.

Cuando todos han dibujado su juego, se traslada el trabajo personal al grupo. Los grupos han de ser poco numerosos, ya que la puesta en común que se realizará puede ser muy densa. Cada participante expondrá su trabajo y el grupo podrá retocar con él la estrategia elaborada si se cree conveniente. Puede ser también que algún miembro vea algún dato interesante en un compañero que quiera añadir a su trabajo. El intercambio de los diseños debe favorecer el enriquecimiento mutuo.

El educador recordará que se acaba de asumir un compromiso con todo el grupo. Al grupo se le otorgará la función de regular y evaluar los compromisos adoptados; controlar la consecución de los niveles; medir la motivación en el proceso; e interpelar y confrontar cuando algún miembro presente tentaciones de abandono.

9. DISFRUTAR DE HACER BIEN EL TRABAJO

> **Objetivo**: valorar lo positivo del trabajo y la responsabilidad. Experimentar el gusto por hacer bien las cosas; la sensación reconfortante que deja el trabajo bien hecho.
>
> **Material necesario**: cartulinas tamaño A4. Rotuladores y material para dibujar.
>
> **Película**: "El constructor de sueños" (Gregg Champion; 2001); "Coach Carter" (Thomas Carter; 2005).

El diploma

Cada miembro del grupo elaborará su propio diploma en la cartulina que se le entrega. En el centro y con letra clara escribirá su nombre. Hará el contorno y los dibujos necesarios que permitan ver con claridad que ha configurado un diploma.

Debajo del nombre todos pondrán el siguiente título: *Diploma a la Excelencia en el Trabajo*

Se invita a que en cada esquina del mismo dibujen un símbolo que represente logros que alcanzaron en su vida; responsabilidades que asumieron con éxito; tareas y trabajos que desempeñaron eficazmente y que supusieron una sensación gratificante.

Han de recordar, por tanto, cuatro acontecimientos (uno para cada esquina del diploma). Pueden ser tareas que hicieron de pequeños en el colegio y se vieron premiadas con una buena nota; trabajos que hicieron en casa y que ganaron un elogio de sus padres; servicios que prestaron a otras personas; o sencillas tareas que ellos contemplaron con admiración y alegría.

Cuando hayan finalizado se reunirán en grupo y pondrán en común su diploma. El educador suscitará el diálogo:

- *¿Cómo nos hemos sentido al recordar aquellas cosas que dependieron de nuestra responsabilidad y nos dejaron un "buen sabor de boca"?*
- *¿Qué sensaciones nos reporta el trabajo bien hecho?*
- *¿En qué momentos hemos sentido que, cuanto más nos cuesta finalizar un trabajo, mayor sensación de bienestar se siente?*
- *¿Qué tareas tenéis entre manos en estos momentos de vuestra vida, y merecerían que os adjudicaseis un "diploma a la excelencia" si asumís el compromiso de finalizarla adecuadamente?*

Ser excelente (Miguel Ángel Cornejo)

"Ser excelente es hacer las cosas, no buscar razones para demostrar que no se pueden hacer.

Ser excelente es comprender que la vida no es algo que se nos da hecho, sino que tenemos que producir las oportunidades para alcanzar el éxito.

Ser excelente es trazarse un plan y lograr los objetivos deseados a pesar de todas las circunstancias.

Ser excelente es saber decir me equivoqué y proponerse no cometer el mismo error.

Ser excelente es levantarse cada vez que se fracasa con espíritu de aprendizaje y superación.

Ser excelente es ejercer nuestra libertad y ser responsable de cada una de nuestras acciones.

Ser excelente es levantar los ojos de la tierra, elevar el espíritu y soñar con lograr lo imposible.

Ser excelente es trascender a nuestro tiempo legando a las futuras generaciones un mundo mejor".

10. SER HUMILDE

> **Objetivo**: tomar consciencia de cómo somos realmente; situarnos con humildad ante nosotros evitando las posturas que nos llevan al narcisismo o el victimismo.
>
> **Material necesario**: fotocopias del cuadrante anexo.
>
> **A tener en cuenta**: el valor de la humildad no es el abajamiento o devaluación de lo que uno es, ni el descuento de nuestros valores personales. Es acercarnos a la verdad sobre nosotros mismos.

"No puede haber sabiduría sin humildad" (Sócrates).

La máquina de la verdad

El animador sitúa la humildad como el valor de quien intenta vivir lo más cercano a un sentido real y veraz de sí mismo. En ocasiones, nuestras percepciones de nosotros mismos y del mundo que nos rodean faltan a la verdad. Ya sea por un exceso de euforia que alimenta la vanidad y la soberbia; ya sea por abusar de un enfoque negativista de nosotros que nos hace victimizarnos.

La humildad requiere combatir estos dos polos y contemplarnos con un análisis lo mas certero posible de nosotros: siendo conscientes de nuestras limitaciones y grandezas. Es como si nos sometiésemos a una "máquina de la verdad".

Para dar mayor fiabilidad a lo que realmente somos, se hace necesario aprovechar el feedback grupal; la información que tienen los demás de nosotros. Así, en dialéctica con nuestra propia información podemos acercarnos más a un sentido real de nosotros mismos.

El educador invitará a que se rellene la tabla de "la máquina de la verdad". Personalmente habrán de evaluar cómo piensan, sienten y experimentan en las distintas situaciones que aparecen en la columna de la izquierda cuando están eufóricos o, por el contrario, cuando están infravalorándose.

Sólo rellenarán esas dos columnas. Y una vez acabado el trabajo personal, se dialogará en grupo. Cada uno comunicará lo que ha escrito en la tabla a los demás miembros y, al terminar, el grupo le dirá como lo ve en cada una de esas facetas de su vida. La persona tomará nota de lo que se le comunica.

Así se hará con todos y cada uno de los miembros del grupo. Es por lo que éste no ha de ser muy numeroso. Cuando se haya completado el trabajo grupal, cada uno volverá a encontrarse personalmente con el cuadrante. Con la información que se le ha dado y con la propia se rellenará la columna última de la derecha.

Al finalizar se volverá al grupo a hacer la puesta en común y compartir las conclusiones.

El animador, si lo cree conveniente, puede añadir otras áreas en la columna de la derecha que desee que se evalúen. También puede modificar las existentes si lo estimase necesario.

	Mi yo eufórico y vanidoso	Mi yo deprimido y "victimita"	Mi yo sensato y humilde
Cómo me veo físicamente.			
Cómo me percibo y valoro a mí mismo.			
Cómo son mis relaciones de amistad.			
Cómo es mi relación de pareja.			
Mis relaciones familiares.			
Mis responsabilidades de trabajo o estudio.			
…			

Capítulo IV

Para ser personas de altura

1. SER SENSIBLE CON LA DEBILIDAD

> **Objetivo**: reforzar la sensibilidad hacia la debilidad de las personas que nos rodean y asumir compromisos concretos ante ella.
>
> **Material necesario**: pegatinas, cartulinas, revistas y periódicos. Pegamento de barra y rotuladores.
>
> **A tener en cuenta**: la actividad se plantea en una única sesión pero también se puede hacer por partes. Hay tres ejercicios claramente diferenciados que se pueden hacer juntos o por separado.
>
> **Película**: "Grita Libertad" (Richard Attenborough; 1987).

Pegatinas de solidaridad

Por grupos han de hacer un mural grande donde representen los problemas del barrio, comunidad, zona o ciudad en la que viven.

Han de hacer otro de las mismas características reflejando los males del mundo. Se pueden valer de los periódicos para expresarlos.

Tanto un mural como el otro lo colocan de forma visible para el grupo. Deben darle título a cada uno de los murales para diferenciarlos ("Así sufre mi barrio"; "El mundo está enfermo";...).

Cuando han terminado y los murales están expuestos se entrega a cada uno ocho pegatinas. Se invita a que el ejercicio se haga en silencio y con profundidad y detenimiento. El educador podrá dejar una música relajante de fondo. Se explicará todo el ejercicio para que así el animador no tenga que interrumpirlo mientras lo realizan.

Se sientan en círculo y se contemplan unos a otros. Han de reflexionar sobre cada uno de sus compañeros y pensar en cuatro de ellos que, a su parecer, tienen una necesidad concreta que ellos pueden paliar de alguna manera ("Echarle una mano en un examen próximo; escucharle con el problema que tiene con la novia; invitarla a salir con mi pandilla de los fines de semana;..."). Cada persona le sugerirá, por tanto, un compromiso que escribirán en cada una de las pegatinas. Utilizarán un máximo de cuatro pegatinas y una por cada persona; no podrán colocar más de una en cada persona.

Cuando han terminado, el educador les invita a pasear por la sala e ir colocándose unos a otros las pegatinas que les corresponden en la espalda.

Sin mirarse las pegatinas que se han colocado, se vuelven a sentar y contemplan los murales que han elaborado. Han de pensar ahora qué pueden hacer cada uno de ellos por minimizar la problemática que invade tanto el barrio como el mundo. Para cada uno de los murales pensarán en dos compromisos concretos que pueden asumir y los escribirán en las pegatinas.

Cuando hayan finalizado, se van levantando lentamente y colocan las pegatinas en los murales tapando así lo que habían expresado con sus compromisos.

Cada uno habrá de colocar al menos una pegatina en cada mural y dos como máximo. No han de ir firmadas si el grupo es pequeño. Si la actividad se realiza en un grupo muy grande se les pide que firmen todas las pegatinas que escriben.

Se sientan todos y debaten los compromisos que han asumido. Primero con la barriada o lugar donde viven. En un segundo momento con el mundo.

Hay que recordar que aún deben seguir con sus pegatinas personales en la espalda.

El grupo puede evaluar si esos compromisos son realmente concretos y si, podemos juntos, garantizar su cumplimiento y verificación. Es aconsejable que se expresen los sentimientos que les supone contemplar la realidad que existe en nuestro mundo más cercano y en la humanidad entera, y lo que cada uno puede hacer ante ella.

Cuando se ha debatido y se han compartido los compromisos, el animador invita a que cada uno se quite las pegatinas de la espalda y lea los mensajes que les han escrito sus compañeros en ellas.

- *¿Qué he experimentado al ver que mis compañeros colocaban pegatinas en mi espalda?*
- *¿Cómo me he sentido esperando saber lo que otros darían por mí?*
- *¿Qué pienso de lo que me han escrito? ¿Cómo valoro la sensibilidad de mis compañeros hacia mis necesidades o problemas?*
- *¿Cómo es nuestra sensibilidad ante los problemas de los que nos rodean, de nuestro lugar de vida y del mundo?*

El número de pegatinas que he otorgado es orientativo para un grupo de diez a doce personas. El animador puede modificar este número en función del tamaño del grupo. Un detalle que el educador ha de tener en cuenta es, en la medida de lo posible, garantizar que a todos se les coloque alguna pegatina en la espalda. Con lo cual puede establecer la variante de que una de las pegatinas que pongan en la espalda vaya destinada al compañero de la derecha y el resto sea de libre designación.

2. APRENDER A CONTEMPLAR LA VIDA COTIDIANA

Objetivo: facilitar la mirada atenta y profunda de la vida para sacarle el máximo partido. Saber destacar lo importante sin que pase desapercibido.

Material necesario: un cuaderno y material para escribir y dibujar.

A tener en cuenta: nuestra vida sólo tiene sentido en la medida en que tenemos los ojos abiertos a los acontecimientos que nos rodean y le configuramos una explicación o le buscamos una moraleja que nos sirva para aprender de ellos y así seguir creciendo como personas. Esta técnica es buena realizarla en varias sesiones y hacerle un seguimiento del trabajo realizado. Si no fuese posible, se puede comenzar el cuaderno y dejarlo preparado para que los participantes sigan trabajando en él individualmente. Es aconsejable compartirlo en grupo.

Cuaderno de Bitácora

Esta actividad consiste en elaborar un sencillo Cuaderno que les sirva de Diario. El educador motivará sobre lo esencial que resulta, en el proceso de crecimiento personal, prestar atención a los acontecimientos de la vida y sacarles el mayor partido posible.

Para ello, es bueno tomar nota de lo vivido; realzar lo más significativo; extraer algún aprendizaje o conclusión;... Y todo esto, lo podemos reflejar en nuestro Cuaderno de Bitácora.

Para fabricarlo se les pueden dar unas pistas: estaría encabezado por la fecha del día o, si se prefiere, puede estar temporalizado por semanas.

Se pueden dibujar una serie de símbolos que den pie para desarrollar algunas anotaciones, por ejemplo:

- Una cara sonriente: amigos o personas con las que entré en contacto.
- Imperdible: cosas que no quisiera olvidar.
- Lupa: vivencias que tengo que reflexionar con más atención.
- Estrella: momentos estelares, maravillosos.
- Libro abierto: sorpresas, acontecimientos que no me esperaba.
- Teléfono Móvil: llamadas y comunicados especiales.
- Vela: acontecimientos que hay que iluminar.
- Brújula: hacia dónde hay que seguir caminando.
- Libro abierto: lecciones que aprendí.
- ...

Otras anotaciones pueden ser:

- Deudas pendientes con personas.
- Dedicatoria especial a alguien.
- Frase del día (de la semana).
- Personaje del día (de la semana).
- ...

3. SOÑAR Y PLANIFICAR EL FUTURO

> **Objetivo**: elaborar el proyecto de vida personal. Vivenciar la experiencia de soñarse y proyectarse en el futuro a partir de la realidad presente.
>
> **Material necesario**: fotocopias del material anexo en la dinámica.
>
> **A tener en cuenta**: el proyecto de vida es un instrumento de enorme valor. El educador ha de adaptarlo a las características de los miembros del grupo. En ocasiones, se verá abocado a simplificarlo; en otras a realizarlos en distintas sesiones de trabajo;... Lo importante es que la persona pueda partir de su realidad actual para soñarse y situarse en el futuro y establecer los compromisos necesarios para llegar a la meta.
>
> Por otro lado, es aconsejable hacer ver que el proyecto de vida no está para cumplirlo (lo cual podría resultar en ocasiones frustrante); no es un plan rígido e inflexible; sirve para dejarse orientar por él y evaluar, con posterioridad, los avances y las dificultades que se encontraron en el camino.
>
> Las metas planteadas han de ser lo suficientemente motivantes y, a la par, concretas y alcanzables por el sujeto. Es adecuado que en grupo se evalúe si los medios que se han establecido son los adecuados para la consecución de los objetivos planteados.

"Todo el mundo trata de realizar algo grande, sin darse cuenta de que la vida se compone de cosas pequeñas" (Frank Clark).

Un puente hacia el horizonte: el proyecto de vida

El proyecto de vida es el puente que nos permite pasar de la situación actual en la que vivimos a ese horizonte, más o menos lejano, que pincelamos con nuestros sueños. Lo mejor que queremos SER no puede ser objeto de improvisación; requiere una planificación flexible pero clara y bien instrumentalizada.

El animador tendrá en cuenta cómo ha de ser la fijación del tiempo futuro (meses, años,...): lo puede proponer él o, si lo estimase conveniente, lo puede dejar a libre elección de cada persona. Si cree conveniente determinar el tiempo él mismo, buscando la homogeneidad del trabajo grupal, deberá estudiar con sumo cuidado a qué distancia debe marcar la proyección personal: en algunos casos, se puede establecer en un mes si las personas no están muy acostumbradas a hacer este tipo de ejercicios; en adolescentes se puede establecer el proyecto de vida en la mayoría de edad; en un año si con el grupo se va a trabajar durante mucho tiempo y se va a volver a repetir la experiencia al año siguiente;... En definitiva, deberá ser algo que el educador valore y proponga.

También será necesario diseñar previamente en cuántas sesiones grupales se va a realizar esta actividad y cómo se favorecerá y ejecutará el feedback grupal sobre el trabajo personal realizado.

Explicar en qué consiste

El proyecto es como un camino para alcanzar una meta. Es el plan que una persona se traza a fin de conseguir objetivos importantes para su vida. Este proyecto da coherencia a la vida presente, a las acciones, a las actitudes y valores de una persona en sus diversas facetas, y marca un determinado estilo en las relaciones y en el modo de contemplar la vida...

Como estrategia de planificación parte del presente histórico del sujeto; propicia una visualización del futuro, con unos objetivos bien definidos, y establece los medios y compromisos necesarios para la consecución de los mismos.

Diagnóstico inicial

Después de aclarar en qué consiste el instrumento que se va a trabajar, el animador propondrá el primer trabajo por escrito. Se invita a que escriban en el papel la descripción de la persona; sus actividades cotidianas; las personas importantes en su vida; sus aficiones; sus valores y prioridades; sus virtudes y defectos; sus relaciones personales; su trabajo o responsabilidad; cómo se siente en el mundo en el que vive;...

Visualiza el horizonte

Se les pide que imaginen cómo les gustaría estar/ser dentro de un año (o el tiempo que marque el animado como ya se sugirió antes). Su manera de vestir, su forma de ser; cambios personales que quisiera hacer; su relaciones sociales y familiares; su vida afectiva; sus responsabilidades, ocupaciones e intereses; las persona que les gustaría tratar;... Recordando la introducción de este libro: *¿Cómo quieres ser de mayor?*

Construye el puente

El tercer paso consiste en diseñar la estrategia. En un primer momento, se debe hacer una comparación entre lo que uno es y hace en la actualidad y lo que quiere llegar a ser/hacer en el futuro.

Tras la comparación, hay que definir los objetivos concretos y necesarios para alcanzar el horizonte que se ha ensoñado (Si quiero ser masajista en mi desarrollo profesional, el objetivo podrá ser realizar un curso de formación que me capacite para ello). Estos objetivos generales, se pueden diseccionar en objetivos intermedios o específicos si fuese posible. Esto optimizaría la planificación y la evaluación posterior. Aún así, insisto en la idea de dar mucha concreción al objetivo general.

Momentos para la evaluación

Una vez diseñada la estrategia, es adecuado injertar momentos definidos para la evaluación del plan. No evaluar sólo al final. Es conveniente revisar frecuentemente el plan trazado a medida que se va desarrollando. Definir, en la temporalización del proyecto de vida, en qué momentos se va a revisar el mismo. Al ser un plan flexible, esas evaluaciones intermedias pueden llevar a la matización de los objetivos propuestos o de los instrumentos planteados.

Anexo: ¿Cómo hacer un Proyecto de Vida?

	Instrumentos y medios necesarios	Objetivos generales y específicos	Situación Actual	El futuro que me planteo	Momentos para revisar
Mi manera de estar en el mundo que me rodea.					
Mi forma de ser. Virtudes y defectos.					
Mis relaciones personales.					
Mi vida afectivo-sexual.					
Mi vida familiar.					
Mis necesidades, prioridades y valores.					
Mi vocación.					
Mi vida de estudio y/o laboral.					
Mis aficiones e intereses. El tiempo libre.					
...					

4. COLABORAR EN UN NUEVO ORDEN

> **Objetivo**: asumir compromisos de cambio personal y hacer concientes de su resonancia en el orden mundial.
>
> **Material necesario**: cartulinas, material de revistas o periódicos, bolígrafos y pizarra o papel continuo con rotuladores.
>
> **A tener en cuenta**: la lectura de la narración, antes de los ejercicios, debe hacerse en un clima de silencio y escucha atenta. Se puede añadir una música suave de fondo. Tras la lectura, es conveniente dejar un espacio de silencio para que las palabras hagan eco interior.
>
> **Película**: "Cadena de favores" (Mimi Leder; 2000).

"Dormía..., dormía y soñaba que la vida no era más que alegría. Me desperté y vi que la vida no era más que servir... y el servir era alegría" (Rabindranath Tagore).

Acuérdese de mí

"Casi no la había visto. Era una señora anciana con el auto varado en el camino. El día estaba frío, lluvioso y gris. Alberto se pudo dar cuenta que la anciana necesitaba ayuda.

Estacionó su auto destartalado delante del Mercedes de la anciana, aún estaba tosiendo cuando se le acercó. Aunque con una sonrisa nerviosa en el rostro, se dio cuenta que la anciana estaba preocupada. Nadie se había detenido desde hacía más de una hora, cuando se detuvo en aquella transitada carretera.

Realmente, para la anciana, ese hombre que se aproximaba no tenía muy buen aspecto, podría tratarse de un de-

lincuente. Más no había nada por hacer, estaba a su merced. Se veía pobre y hambriento.

Alberto pudo percibir como se sentía. Su rostro reflejaba cierto temor. Así que se adelantó a tomar la iniciativa en el diálogo:

–'Aquí vengo para ayudarla señora. Entre a su vehículo que estará protegida del clima. Mi nombre es Alberto'–.

Gracias a Dios solo se trataba de un neumático bajo, pero para la anciana se trataba de una situación difícil. Alberto se metió bajo el coche buscando un lugar donde poner el gato y en la maniobra se lastimó varias veces los nudillos.

Estaba apretando las últimas tuercas, cuando la señora bajó la ventana y comenzó a hablar con él. Le contó de donde venía; que tan sólo estaba de paso por allí, y que no sabía como agradecerle. Alberto sonreía mientras cerraba el baúl del coche guardando las herramientas.

Le preguntó cuanto le debía, pues cualquier suma sería correcta dadas las circunstancias, ya que pensaba las cosas terribles que le hubiese pasado de no haber contado con la gentileza de Alberto. Él no había pensado en dinero. Esto no se trataba de ningún trabajo para él.

Ayudar a alguien en necesidad era la mejor forma de pagar por las veces que a él, a su vez, lo habían ayudado cuando se encontraba en situaciones similares.

Alberto estaba acostumbrado a vivir así. Le dijo a la anciana que si quería pagarle, la mejor forma de hacerlo sería que la próxima vez que viera a alguien en necesidad, y estuviera a su alcance el poder asistirla, lo hiciera de manera desinteresada, y que entonces... –'tan solo piense en mi'–, agregó despidiéndose.

Alberto esperó hasta que al auto se fuera. Había sido un día frió, gris y depresivo, pero se sintió bien en terminarlo de esa forma, estas eran las cosas que más satisfacción le traían. Entró en su coche y se fue.

Unos kilómetros mas adelante la señora divisó una pequeña cafetería. Pensó que sería muy bueno quitarse el frío con una taza de café caliente antes de continuar el último tramo de su viaje.

Se trataba de un pequeño lugar un poco desvencijado. Por fuera había dos bombas viejas de gasolina que no se habían usado por años. Al entrar se fijó en la escena del interior.

La caja registradora se parecía a aquellas de cuerda que había usado en su juventud. Una cortés camarera se le acercó y le extendió una toalla de papel para que se secara el cabello mojado por la lluvia. Tenía un rostro agradable con una hermosa sonrisa. Aquel tipo de sonrisa que no se borra aunque estuviera muchas horas de pie.

La anciana notó que la camarera estaría de ocho meses de dulce espera. Y, sin embargo, esto no le hacia cambiar su simpática actitud. Pensó en cómo, gente que tiene tan poco, puede ser tan generosa con los extraños.

Entonces se acordó de Alberto...

Luego de terminar su café caliente y su comida, le alcanzó a la camarera el precio de la cuenta con un billete de cien euros. Cuando la muchacha regresó con el cambio constató que la señora se había ido. Pretendió alcanzarla. Al correr hacia la puerta vio en la mesa algo escrito en una servilleta de papel al lado de 4 billetes de 100 euros.

Los ojos se le llenaron de lágrimas cuando leyó la nota:

–'No me debes nada, yo estuve una vez donde tú estás. Alguien me ayudó como hoy te estoy ayudando a ti. Si quieres pagarme, esto es lo que puedes hacer: no dejes de asistir y ser bendición a otros como hoy lo hago contigo. Continúa dando de tu amor y no permitas que esta cadena de bendiciones se rompa'.

Aunque había mesas que limpiar y azucareras que llenar, aquél día se le fue volando.

Esa noche, ya en su casa, mientras la camarera entraba sigilosamente en su cama, para no despertar a su agotado esposo que debía levantarse muy temprano, pensó en lo que la anciana había hecho con ella. ¿Cómo sabría ella las necesidades que tenían con su esposo, los problemas económicos que estaban pasando, máxime ahora con la llegada del bebé. Era consciente de cuán preocupado estaba su esposo por todo esto.

Acercándose suavemente hacia él, para no despertarlo, mientras lo besaba tiernamente, le susurró al oído:

–'Todo va a estar bien, te amo... Alberto'"– (Autor desconocido).

Si yo cambio, el mundo cambia

Tras la lectura de la narración ("Acuérdese de mi...") se dividen por grupos y en una cartulina representan los males que afectan a la humanidad. Según el tiempo del que se disponga se puede hacer sólo con palabras (hambre, pobreza, desertización,...) o se le puede añadir fotos de periódicos, revistas o dibujos elaborados por los propios participantes.

Se colocan los murales a la vista de todos y se ponen en común.

Se le entrega a cada participante un folio y un bolígrafo para que tracen una línea horizontal que divida el papel en dos partes iguales. Se les pide que en la parte superior del mismo escriban las actitudes que son necesarias para que cambien todos esos problemas que se han planteado. En la parte inferior del folio han de concretar comportamientos que cada uno debe asumir y que ayudaría en dicha transformación.

Es conveniente tener en cuenta la diferencia entre actitudes y comportamientos. En la parte superior del folio pueden escribir palabras como solidaridad, cercanía, sensibilidad,... Pero en la parte inferior se trata de conductas concretas: apadrinar un niño, hacerme socio de una ONG, ahorrar agua en casa, reciclar el papel,... Serán compromisos personales.

El animador debe compartir con el grupo que, en ocasiones, estamos pasivos ante el mundo porque pensamos que nuestras actuaciones son estériles. Sin embargo, podemos cambiar y transformar la realidad con nuestros pequeños compromisos, aparentemente pequeños, pero que sumados pueden constituir una cadena de "bendiciones" que hacen este mundo mejor. Nuestros pequeños cambios son fértiles y transformarán la realidad.

5. TENER FE Y CONFIANZA

Objetivo: analizar las características de las personas que son fiables y de las que confían en los demás. Evaluarse en cada uno de estos valores. Experimentar la sensación de compartir secretos con los otros miembros para ganar en confianza entre todos.

Material necesario: fotocopia con el "test de fiabilidad" para cada participante.

Test de fiabilidad

Características de las personas fiables	Puntuación
Son prudentes y rechazan cotillear de otros.	
Saben guardar secretos.	
Valoran lo que se comparte con ellos.	
Saben estar a tu lado en los buenos y malos momentos.	
...	
Puntuación total	
Características de las personas que confían	**Puntuación**
Son arriesgados.	
Saben apreciar la amistad.	
Esperan lo mejor de los otros.	
Les gusta contar con los demás.	
Puntuación total	

Se le entrega a cada uno el cuestionario. Éste, lo puede entregar el animador en blanco (solamente con los títulos de los ítems) o con algunas características propuestas como aparece en el ejemplo. Tanto en un caso como en el otro, el grupo debe completarlo con más características en cada uno de los apartados. Se hace a través de una lluvia de idea donde cada uno tomará nota de las actitudes que salgan en su propio cuestionario.

Una vez rellenado los cuadrantes de la izquierda, se les invita a que se autoevalúen en cada una de esas actitudes siguiendo el siguiente criterio:

- Un punto: casi nunca presento esa actitud en mis relaciones, sean del tipo que sean.
- Dos puntos: con algunas personas me resulta más fácil y con otras casi imposible ser así.
- Tres puntos: en general me comporto de esa manera y presento esas actitudes con facilidad.

Suman las puntuaciones de cada apartado. Dependiendo del número de actitudes que se hayan escrito en el cuestionario así habrá que valorar las distintas puntuaciones.

El animador podrá hacer un cálculo y establecer un criterio de evaluación. Por ejemplo, en la evaluación de las personas fiables (si hubiese solamente cuatro actitudes expuestas):

- De uno a cuatro puntos: personas de poco fiar. Más vale que aprendáis a escuchar más y hablar menos de los otros.
- De cinco a ocho: sois capaces de ser prudentes y fiables. Hay que aprender a serlo con todos lo que se arriesgan a confiar en nosotros; no sólo con aquellos que nos agradan.
- De nueve a doce: da gusto hablar con vosotros. Uno se siente que lo que se comparte queda en buenas manos. ¡Seguid así!

En el cuestionario de las personas que confían en los demás, se puede reflejar de esta manera:

- De uno a cuatro puntos: tenéis demasiado miedo. Quizás han traicionado en varias ocasiones vuestra confianza, pero merece la pena arriesgarse. Necesitas vivir la experiencia de darte a otro y sentir que estás en buenas manos.
- De cinco a ocho: es fácil confiar en los amigos, la prueba de fuego está en que vayas abriéndote también a otras personas. Sentirás como crecen tus relaciones.
- De nueve a doce: a pesar de las dificultades sigues creyendo en las personas. Eso tiene una repercusión positiva en ti. Seguro que tienes muchos amigos y has aprendido mucho en tu trato con las personas.

Los resultados del test se debaten en grupo. El educador puede añadir una variante en este ejercicio: si el grupo no es muy numeroso se les piden que se pasen unos a otros los cuestionarios realizados. Cada miembro del grupo observará la evaluación que ha hecho la persona de sí mismo y le escribirá un mensaje en el folio sobre lo que percibido en él. Se intenta que todos y cada uno de los test pasen por los distintos compañeros del grupo. Puede ser un feedback muy enriquecedor.

Mi secreto por el tuyo

La primera fase de la dinámica se motiva como un juego divertido. Se invita a los participantes a que piensen en algún acontecimiento de su vida que nunca han contado a nadie por vergüenza o miedo. Una situación que les provocó bochorno o que generaría la risa de los compañeros.

Se reúnen en grupos de mediano tamaño (unos diez) y hacen el pacto de que todos y cada uno de ellos confesará ese secreto tan bien guardado. Se insiste que se hace para divertirnos un rato y para generar un clima de confianza entre todos.

Se abre la rueda y comienzan a compartir sus secretos. Al finalizar, se facilita el feedback: cómo se han sentido al contar sus vivencias y al escuchar a sus compañeros.

En un segundo momento, se les motiva a que ahora compartan un secreto más íntimo. Algo que forma parte de ellos; algo que les cuesta contar sobre ellos mismos. Se les distribuye por parejas y se les da diez minutos para que ambos compartan lo que tienen tan bien guardado.

El animador deja claro que nada de lo que se hable en las binas se comentará posteriormente en los grupos y, evidentemente, se les pide a todos la mayor confidencialidad.

Cuando han compartido en parejas sus secretos, se vuelve al grupo a evaluar lo que han vivido.

- *¿Qué miedos iniciales tenía en cada uno de los ejercicios?*
- *¿Cómo me he sentido al contarlo?*
- *¿Cómo ha reaccionado mi compañero, en la actividad por parejas, al escucharme?*
- *¿Cómo he salido de los dos ejercicios?*

6. CULTIVAR LA INTIMIDAD

Objetivo: facilitar la relajación, el encuentro relajado con uno mismo, el gusto por la intimidad y el sosiego creativo.

Material necesario: música relajante. Arcilla o plastilina. Colchonetas o cojines. Sala adecuada para la relajación. Papel y bolígrafo.

Una cita con nosotros mismos

La vida es un viaje. En ocasiones, es necesario y aconsejable pararnos un poco; repostar y cargar de energías nuestras fuerzas consumidas y desgastadas; cultivar el sosiego creativo que genera una actitud más positiva al reiniciar la marcha; gozar de los paisajes personales que las prisas no nos permitieron contemplar; tener un encuentro, con nosotros mismos, enriquecedor y estimulante.

La dinámica tiene varios pasos distintos y bien diferenciados. El animador la hará saber antes de comenzar el desarrollo completo de la misma. Se evitarán las explicaciones durante el ejercicio, sólo bastará con dar las consignas breves para ir cambiando de un paso a otro. El material necesario para su ejecución se entregará también al principio. Es aconsejable que el proceso no se interrumpa en ningún momento y que sea fluido. Todas las aclaraciones necesarias han de plantearse y resolverse antes de comenzar.

* *Reduce la velocidad*

A pesar del mucho estrés que acumulamos, nuestro estado natural es la relajación. Para comenzar, el animador dirige un ejercicio de respiración relajante. Ayuda a distensionar los músculos y realizar respiraciones lentas y completas. Ir reduciendo la velocidad de la respiración hasta alcanzar, aproximadamente, un nivel de diez respiraciones (circuito completo de inspiración y expiración) por minuto.

* *Búscale un rinconcito a tu cita*

El animador propone que cada uno intenta ubicarse en un lugar que le resulte cómodo y le facilite la intimidad. Pueden usarse colchonetas, cojines, sofás cómodos,... El lugar debe permitir la dispersión de todos los miembros y que no estén muy cerca unos de otros.

Se invita a la comodidad de la postura: que cada uno asuma aquella en la que se sienta más cómodo y mantenga una adecuada relajación postural.

* *Ayudamos con la música*

Para ayudar, el animador dejará sonar de fondo una música suave (Bach, Vivaldi, Haendel, Haydn, Mozart, Schubert o se puede optar por ciertos compositores de New Age; Bandas sonoras de películas;...).

* *Un sosiego creativo*

Se le habrá entregado a cada miembro del grupo plastilina o arcilla, en cantidad suficiente como para esculpir un objeto de unos 25 centímetros. Con ayuda de la música, una vez que cada uno sienta que se ha relajado y ha tomado contacto profundo consigo mismo, se invita a esculpir la arcilla. Para ello, cerrarán los ojos y dedicarán toda su atención a que sus dedos palpen y manipulen el material. Han de dejarse llevar, no se trata de crear algo concreto, tan sólo de expresar la vivencia interior.

A los diez minutos, aproximadamente, abrirán los ojos y descubrirán el resultado de su trabajo.

* *Cuéntanos tu cita*

Cuando han finalizado, personalmente, reflejarán la experiencia por escrito. Se mantendrá el mismo clima de silencio personal y de relajación que facilite la autorrevelación a través de la escritura.

Una vez que el educador valore que todos han podido reflejar en el papel su experiencia, aglutinará al grupo convocándolos a una puesta en común.

Para la misma se puede mantener la música de fondo y el mismo clima de intimidad y relajación. Antes de la comunicación grupal, el animador puede volver a repetir el ejercicio de respiración relajante.

Cada uno leerá lo reflejado en el papel, mientras a los demás se les invita a una escucha profunda.

Es aconsejable hacer un feedback del desarrollo de la sesión para acabar con la dinámica.

7. ELEGIR UN MAESTRO GUÍA

> **Objetivo**: dialogar con un "Maestro" o "Mentor" personal e imaginario que nos sirva de elemento de contraste, interpelación y confrontación, tanto de nuestra vida interna como de los propios acontecimientos que requieren discernimiento.
>
> **Película**: "El hombre sin rostro" (Mel Gibson; 1993).

Y fuimos a la casa del Maestro

El educador les invita a que creen (o recreen si ya lo tenían) y piensen en un personaje al que admiran: un filósofo griego, un científico admirado, un líder social, un personaje carismático, un sabio milenario, o sencillamente un personaje inventado por la fantasía del sujeto. A esa persona, se le nombra su consejero personal, un mentor que les enseñe lo que desean aprender.

Se sientan todos en lugar cómodo, con música suave de fondo y en un ambiente que favorezca la serenidad. Es aconsejable que los miembros del grupo mantengan los ojos cerrados durante el ejercicio mientras el animador va dando las consignas e instrucciones.

Se les dice que imaginen que van a realizar un peregrinaje hacia la casa del Maestro. Ese personaje tendrá que ser todo un emblema de sabiduría, serenidad, amabilidad,... Han de imaginar en qué lugar se encuentra ese hogar; qué camino han de recorrer hasta llegar a ella; cómo es el exterior de la casa; en qué estación del año se encuentran; cómo van vestidos; cómo es la casa por dentro;... El animador va ayudándoles, poco a poco, a ir visualizando todos los elementos contextuales.

Han de imaginar que el maestro sale a su encuentro y les invita a pasar a su hogar; les enseña como vive y el secreto de su sabiduría,... ¿Cómo es el sabio? ¿Cómo viste? ¿Qué libros posee? ¿Cuál es su estilo de vida cotidiana?

Han de mantener *una conversación íntima* con él o con ella (puede ser una mujer, no lo olvidemos). Pueden dialogar con su mentor interior.

- *¿De qué deciden conversar?*
- *¿Cómo le planteas las cosas que te preocupan?*
- *¿Qué te responde?*
- *¿Cómo te sientes en este diálogo con él/ella?*
- *...*

El animador les plantea todas estas cuestiones y les deja en silencio, en total concentración y con la música de fondo. Es importante que nadie se salga de la dinámica y si alguien termina que no moleste a los que están por concluir.

Cuando pase un tiempo prudencial, el animador les pedirá que se despidan de su maestro y que hagan el camino de regreso.

Podrán abrir los ojos y comentar las experiencias de ese viaje.

En grupo el educador planteará las siguientes cuestiones para el diálogo compartido.

- *¿Cómo os ha resultado el ejercicio de visualización e imaginación?*
- *¿Cómo os habéis sentido en la experiencia?*
- *¿Qué habéis aprendido en vuestro diálogo con el Maestro?*
- *¿Estáis de acuerdo con lo que os ha planteado? ¿Era muy distinto a lo que pensabais anteriormente?*
- *¿Cómo podéis llevar este ejercicio a vuestra vida cotidiana y qué os puede aportar?*

Esta última pregunta es muy importante que la contesten todos y la concreten. Pueden perfectamente incorporar en la cotidianeidad el diálogo interno con el Maestro como elemento de discernimiento personal. En aconsejable que lo sitúen en momentos del día donde estén especialmente tranquilos y en tiempos de crisis personales que requieren contraste y confrontación.

Es un magnífico complemento a una buena conversación con un amigo de verdad (de lo que también aprendemos mucho).

8. SABER COLABORAR Y COOPERAR

Objetivo: vivir experiencias de colaboración y cooperación que les permiten alcanzar objetivos que no pueden lograr individualmente.

Material necesario: plumas o papel ligero.

Película: "AntZ HormigaZ". (Eric Darnell y Tim Jonson; 1998).

Soplar la pluma

El animador trae varias plumas (o trozos de papel de seda) y les invita a que cada uno coja una, la lance hacia arriba y, con las manos en la espalda, sople la pluma y la intente mantener en el aire. Si no hay suficientes para todos, la actividad la realizarían voluntarios, mientras los demás le contemplan. Pueden pasar todos por la experiencia. Es más que probable que sólo puedan mantener la pluma en el aire unos segundos.

En un segundo momento, se elaboran grupos. También con las manos atrás han de realizar la misma acción. Entre todos, han de impedir que caiga al suelo. El educador habrá acordado un tiempo determinado o, sencillamente, se puede hacer como competición para ver qué grupo es el ganador.

Se puede intentar una tercera vez. En esta ocasión, se les pide al grupo que elaboren una estrategia de cooperación para intentar mantener la pluma el mayor tiempo posible en el aire: los más altos pueden empezar; otros esperarán la pluma a media altura; un grupito se puede tumbar para el momento en que la pluma este cayendo al suelo;...

Al finalizar, se comparan las tres actividades: ¿Cuál de ellas fue más eficaz? ¿En qué medida la cooperación permitió que se lograse el objetivo?

50 palabras

El animador comenta al grupo que va a dictarles 50 palabras, con tono alto y claro, pero con rapidez. Da la consigna de que ellos tienen que copiar el mayor número posible de las mismas. No pueden pedir que repita las palabras ni quejarse si no oyeron bien. Han de estar en silencio mientras se realiza la dinámica. Los participantes podrán escribir de la forma que quieran esas palabras, siempre que después las entiendan y esté clara la palabra que han copiado.

El animador se coloca en un lugar adecuado en la sala para que se le escuche bien. Comienza el dictado con voz clara y procurando que todos les escuchen. Pronuncia las palabras una tras otra con una cierta rapidez (no es necesario leerlas corriendo).

Cuando ha finalizado, le pide a los participantes que cuenten el número de palabras que han conseguido copiar y establece en una pizarra un cuadrante de resultados.

De 15 a 25: y pone el número de miembros que lograron ese número de palabras.

De 26 a 35: hace lo mismo.

De 36 a 45: repite la operación.

De 45 a 50: coloca los que llegaron a esta meta.

Pregunta si alguien copió las 50 palabras. Es más que probable que nadie lo lograra. Si el animador leyó las palabras a la adecuada velocidad, es casi imposible que nadie haya completado el número total de palabras.

En un segundo momento, los reúne en grupos de unos 4 ó 5 miembros y les pide que elijan una de las listas de uno de los miembros. Los compañeros han de completar esa lista con las palabras que faltan, convirtiéndose en la lista del grupo.

Se vuelve a rellenar el cuadrante anterior contando que esa lista que han completado es la lista de todo el grupo. De esta manera, se escribirá en el cuadrante el número total de miembros del grupo que alcanzaron ese número de palabras. (Si un grupo completó 47 palabras en la lista de un compañero, se considerará que todo el grupo tiene 47 palabras).

Al rellenar el cuadrante, será fácilmente observable cómo ha cambiado el número de participantes que se han acercado al cumplimiento del objetivo. Es probable, incluso, que ya algún grupo haya conseguido recopilar las 50 palabras.

Como variante, el proceso se puede hacer más gradual. Primero copian las palabras individualmente; después se reúnen por parejas y completan una lista; por último se agrupan dos parejas y suman las dos listas añadiendo, de una a otra, las palabras que no estaban. Si el educador viese que, ni aún así, han logrado recopilarlas todas, puede fusionar dos grupos (de dos parejas cada uno) para lograr el cumplimiento total del objetivo.

En cualquiera de las dos modalidades, una vez que han finalizado el ejercicio, se invita a que con una frase expresen lo que han aprendido. Después todo el grupo dialoga sobre la experiencia y las frases que han surgido. La expresión de frases la puede hacer de forma espontánea o con cartulinas escritas que después presentarán para la puesta en común.

A continuación, para facilitar el ejercicio os elaboro una lista de palabras, que os pueden servir para realizar la dinámica. Es susceptible de modificación y cambios según las preferencias del educador.

TIERRA.	BATALLA.
INVISIBLE.	CALENTADOR.
PUERTA.	CANCIÓN.
ESCUELA.	FOMENTO.
JARDÍN.	MANTECADO.
POLÍTICA.	LUNA.
APLAUSO.	MUÑECA.
VOCACIÓN.	ESCOBA.
PERSONALIDAD.	META.
INDIFERENCIA.	MATRIMONIO.
MAR.	ESCOPETA.
PLUMA.	MEZQUITA.
COCINA.	DROGA.
EXTINTOR.	CONDUCTA.
BARCO.	FORMA.
PRESIDENTE.	INFANTIL.
ALEGRÍA.	TELÉFONO.
GRILLO.	HEBREO.
EXISTIR.	ABRIGO.
AFECTIVIDAD.	PITILLERA.
ESPEJO.	ACTIVIDAD.
ARMARIO.	LLAMADA.
HEREJE.	SOCIEDAD.
TEORÍA.	OPORTUNIDAD.
VEHÍCULO.	INTOLERANCIA.

9. DAR LA VIDA

Objetivo: descubrir el valor de la generosidad más alta: dar nuestra propia vida por los demás. Superar el hecho de compartir lo que tenemos o lo que hacemos y ser capaces de dar lo que somos. Experimentar que el sentido de la vida puede estar en darse uno mismo por el bien común.

Material necesario: folios y papeles pequeños (mitad de una octavilla). Material para escribir.

Películas: "John Q" (Nick Cassavetes; 2001).

"Si el hombre no ha descubierto nada por lo que morir, no es digno de vivir" (Martin Luther King).

Mi testamento

Se les explica que la actividad consiste en imaginar que, en el momento actual, reciben la noticia de su pronto fallecimiento y han de hacer testamento.

El legado que van a escribir en un papel ha de tener tres partes bien diferenciadas:

Por un lado ha de pensar en todos los bienes personales que para ellos tienen un valor sentimental y/o significativo y adjudicarlo a la persona que estimen oportuno con una razón que justifique la donación.

En un segundo momento, elegirán cinco personas con las que les gustaría tener un gesto especial en esos últimos momentos de su vida. Han de describir qué momento quisieran recrear con ellas y con qué finalidad (Daría un paseo por la playa con Susana con quien aún me queda mucho que hablar; me iría a pescar con Pablo que hacía tiempo que lo queríamos hacer; le pediría perdón a Lucía porque nunca supe entenderla como a ella le hubiese gustado;...).

En último lugar, van a pensar en cualidades positivas que poseen. Y también harán testamento de ellas a personas concretas que creen que las necesitan (Dejo mi alegría a Yanira que siempre anda algo triste; mi gusto y sensibilidad por la ecología a Rafa que es un descuidado; mi compromiso con la ONG en la que participo a Carlos que es muy amigable pero aun tiene que ser un poco más solidario;...).

Una vez se ha trabajado personalmente, se hace una puesta en común en grupo. Para finalizar el animador puede cuestionar cómo pueden hacer eso mismo en vida, en su situación actual; qué se lo impide; por qué no se comprometen a realizarlo.

Este ejercicio se puede hacer en varias sesiones si se considera, por el tamaño del grupo, que puede ser demasiado largo. En el caso de dividirlo en dos o más sesiones, es conveniente no dialogar sobre cómo llevarlo a la vida cotidiana hasta que todos no hayan puesto en común los tres pasos. Así evitamos contaminar los pasos siguientes: si saben que se les va a cuestionar sobre cómo llevarlo posteriormente a su propia existencia puede hacer cambiar el testamento y las personas a las que van dirigidos. Por tanto, aunque se haga en varias sesiones es aconsejable llevar el orden, en la puesta en común, que viene marcado por la propia actividad.

Otra variante posible, consiste en que el educador entienda enriquecedor, por las características del grupo, que las personas a las que se les lega la fortuna personal sean del propio grupo, y no mencionen a nadie de fuera del mismo. Esto se puede hacer siempre y cuando el grupo lleve mucho tiempo funcionando; no sea demasiado numeroso; y haya un clima de confianza importante entre ellos.

Daría mi vida por ti

El animador entrega cinco papeles pequeños (la mitad de una octavilla) a cada miembro del grupo. Les pide que escriban en cada uno de ellos los nombres de las cinco personas más significativas e importantes de sus vidas (Pueden optar por escribir menos si quieres, el número máximo será de cinco y el mínimo de dos).

Doblan los papeles en dos veces, de forma que no vean los nombres que hay en ellos.

Se sientan en círculos y cierran los ojos. De fondo puede escucharse una música relajante de fondo. Colocan sus manos formando una especie de cuenco donde depositan sus cinco papeles plegados dentro de las mismas.

El animador les comunicará que irá pasando, en silencio, por su lado y les retirará todos los papeles dejándoles solamente uno en las manos.

Cuando haya retirado todos los papeles, les pedirá que abran el que les queda y que piensen qué razones tendrían cada uno de ellos para dar la vida por esa persona que les ha aparecido al descubrir el papel plegado.

Después de unos minutos de reflexión personal, se dialoga en grupo compartiendo cada uno el nombre de la persona y las razones que les llevan a dar su vida por ellos.

Al terminar la experiencia se puede hacer un feedback grupal: cómo se han sentido; qué experimentaron cuando se les retiró los papeles y abrían el que les quedaba; qué comunicación les ha parecido más impactante en la puesta en común;...

10. SER FIEL

> **Objetivo**: descubrir las actitudes relacionales necesarias que conforman una relación basada en la fidelidad y la lealtad. Evaluarse en las mismas y entresacar las dificultades que tienen para poder ser personas leales.
>
> **Material necesario**: fotocopias del material adjunto.

"La lealtad es el camino más corto entre dos corazones" (Ortega y Gasset).

Ingredientes para cocinar la lealtad

Ingredientes	¿Qué dificultades tengo para vivir esta actitud?	¿Con qué personas cercanas deberías potenciar cada una de estas actitudes?
Piensa lo difícil que es ganar un amigo y lo fácil que resulta perderlo. Haz siempre el esfuerzo por no perder tus relaciones de amistad.		
Trata a las personas que quieres como te gustaría que te tratasen.		
Tienes que estar tan dispuesto siempre a dar como a recibir.		
Mantén vivos los detalles en tus relaciones.		
Respeta a cada uno tal y como es.		
Evita discusiones innecesarias; por el contrario busca siempre momentos para el diálogo enriquecedor.		
Supera el pasado, los reproches, y no mires atrás salvo para aprender con el otro. Sé indulgente y, a la vez, pide perdón cuando sea necesario.		
No controles las relaciones ni a las personas que quieres. Deja a los otros ser ellos mismos y acéptalos así.		
Cultiva el sentido del humor.		
Celebra cada cierto tiempo vuestra relación. Homenajead vuestra lealtad.		
...		

Cuando han completado la tabla, el animador los convoca en grupo y hacen la puesta en común. Se pueden tratar otros aspectos, relacionados con el mismo tema, que se lleven al diálogo grupal:

- *¿Suelen durar las relaciones de amistad (pareja) que tenemos? ¿Qué suele acabar con ellas? ¿Qué las mantiene viva por más tiempo? Piensa en los amigos que tienes desde hace mucho tiempo y en aquellos que se quedaron en el camino.*
- *¿La fidelidad es un valor desfasado o, por el contrario, se hace necesario en las relaciones personales? ¿Por qué?*
- *¿Qué provoca que nos cueste tanto trabajo ser personas leales en nuestras relaciones? ¿Por qué, a veces, les resulta difícil a nuestros amigos mantener una cierta estabilidad en su amistad con nosotros?*

Es evidente que el valor de la lealtad se puede trabajar en cualquier ámbito de la relación humana: amistad; lealtad a grupos; pareja y matrimonios; vida comunitaria; equipos de trabajo;...

11. CREER EN LAS UTOPÍAS

Objetivo: ayudar a creer en las propias utopías y asumir los compromisos necesarios que nos acercan a ellas.

Material necesario: papeles y cartones para escribir y dibujar. Periódicos recientes.

Película: "El hombre de la Mancha" (Arthur Hiller, 1972). También se podría escuchar la canción: "El sueño imposible" del musical del mismo nombre, protagonizado por José Sacristán y Paloma San Basilio, disponible en CD.

"Antes de iniciar la labor de cambiar el mundo, da tres vueltas por tu propia casa" (Proverbio chino).

Apadrina un... sueño

Muchas campañas de solidaridad nos animan a apadrinar niños o proyectos que requieren nuestra ayuda. Este gesto (que debería ser asumido por muchos de nosotros) implica un compromiso, habitualmente mensual, de una cantidad de dinero constante.

Este ejercicio consiste en hacer algo similar pero, en esta ocasión, con un sueño.

La sala puede estar ambientada con la frase-título de la sesión de trabajo: "Apadrina un... sueño".

La técnica es muy sencilla de realizar, de corta duración, pero muy comprometedora.

Cada miembro del grupo planteará su sueño por cumplir. Han de establecer cuál sería la cuota que habrían de pagar; y el tiempo y la frecuencia de sus "pagos". Esos cantidades estipuladas, es evidente, que no han de ser reflejadas en dinero sino en compromisos concretos a asumir.

Cuando se ha establecido la forma de comprometerse con el objetivo planteado, el grupo podrá hacer feedback para matizar la adecuación de los compromisos y su frecuencia con el sueño por alcanzar.

Por ejemplo: Melania quiere apadrinar un sueño muy personal. Hace un mes entró en su clase una nueva compañera. Se llama Sonia y es una chica muy tímida. Su sueño es hacerse amiga de Sonia y que empiece también a salir con el grupo de chicas y chicos con quienes ella se va de marcha. Para ello, es necesario asumir estos compromisos:

Durante la primera semana: se encargará de saludarla todos los días, tanto al entrar en el colegio, como despedirse de ella al marcharse.

En la segunda semana: se acercará a ella en el recreo y mantendrá las primeras conversaciones.

En la tercera semana: indagará sobre sus aficiones, intereses y gustos. Algunos días, al salir del colegio, la acompañará a su casa. Le pedirá su número de teléfono.

En la cuarta semana: la llamará por teléfono alguna tarde y quedarán para estudiar.

Así, sucesivamente, irá marcando los compromisos necesarios para conseguir lo que se ha propuesto.

Si la dinámica del grupo lo permite, en sesiones posteriores se puede ir evaluando el cumplimento de dichos "pagos" y como se va cumpliendo el sueño. Es aconsejable también que se dialogue de las dificultades que encuentran y de cómo pueden ir matizando la estrategia si las variables cambian.

Hay que facilitar que expresen también cómo se van sintiendo al acercarse (o alejarse en el peor de los casos) al sueño que se han trazado.

Armas para la utopía

El animador les invita a crear las armas necesarias para que se cumplan los sueños, que nos sirvan para acercarnos cada vez más a las utopías.

Si no se quiere complicar mucho el ejercicio, se eligen dos armas que han de construir todos con cartones, papeles y material para dibujar: una espada y un escudo.

La espada simbolizará el arma que nos abre los senderos hacia las utopías. El escudo representará el arma que nos protege de las dificultades en el camino que emprendemos hacia el horizonte de nuestros sueños.

Si el grupo fuese muy numeroso, se pueden dividir pro subgrupos que asumirán ser una misma tribu de guerreros con símbolos comunes y otros personales que les diferencien.

Tanto en la espada como en el escudo escribirán palabras y dibujarán símbolos que reflejen lo ya explicado.

Cada guerrero o tribu, puede tener un lema, un "grito de guerra" que exprese el ideal.

Se realiza la puesta en común y se dialoga sobre las impresiones que han tenido sobre el trabajo de los compañeros. Es aconsejable que resalten los valores en los que han basado la lucha por sus ideales.

Emisión radiofónica de buenas noticias

Se dividen por grupos de unas cinco personas aproximadamente. Se trata de preparar una emisión radiofónica de unos diez minutos por cada grupo.

Para ello, se les entregará varios periódicos recientes. Habrán de constituirse como equipo de redacción y transformar algunas informaciones de actualidad elegidas en noticias tal y como les gustaría a ellos emitirlas.

Cuando hayan concluido el trabajo de redacción elegirán las personas que harán de locutores de radio y que tendrán la responsabilidad de comunicar los eventos transformados en la puesta en común. Habrán de hacerlo teatralizando como si de una emisión radiofónica se tratase.

En la puesta en común, cada grupo retransmitirá su propio programa radiofónico de buenas noticias. El animador puede ser el locutor que dé paso a cada uno de los grupos escenificando también su rol de coordinador del programa de radio.

Al finalizar se comenta el ejercicio y las distintas impresiones que les ha causado escuchar el trabajo de cada subgrupo.

Si el grupo fuese pequeño, en vez de dividirlo por subgrupos, se puede hacer un trabajo personal. A cada miembro se le encarga de dar una noticia y, tras el trabajo individual, todos hacen juntos el programa radiofónico.

12. DEJAR SER A LOS OTROS EN LIBERTAD

Objetivo: experimentar que la relación con los otros ha de basarse más en saber acompañar que en dirigir o controlar. Aprender a respetar las decisiones de los demás.

Material necesario: una cuerda para cada participante de metro y medio de largo aproximadamente. Folios y material para escribir.

Películas: "Spirit, el corcel indomable" (Kelly Asbury & Lorna Cook; 2002);
"A primera vista" (Irwin Winkler; 1998);
"Always. Para siempre" (Steven Spielberg; 1989).

La mariposita (Autor desconocido)

"Un día, una pequeña abertura apareció en un capullo. Un hombre se sentó y observó a la mariposa por varias horas y como ella se esforzaba para que su cuerpo pasara a través de aquel pequeño espacio. Entonces parecía que se había dado por vencida pues no se veía ningún movimiento y no parecía

hacer ningún progreso. Por el contrario, parecía que había hecho más de lo que podía y aun así no conseguía salir.

Entonces el hombre decidió ayudarla. Tomo una tijera y con ella cortó el capullo para que la mariposa pudiese salir. La mariposa salió con una gran facilidad. Pero su cuerpo estaba atrofiado, muy pequeño y con las alas maltratadas. El hombre continuó observando a la mariposa porque esperaba que en cualquier momento sus alas se fortalecieran, se abrieran con fuerza y fueran capaces de soportar su peso afirmándose con el tiempo.

Pero nada de eso pasó. En realidad, la mariposa pasó el resto de su vida arrastrándose con el cuerpo atrofiado y con las alas maltratadas y encogidas. Nunca fue capaz de volar. Lo que el hombre, en su gentileza y deseo de ayudar, no comprendía era que el capullo apretado y el esfuerzo necesario para salir por el pequeño agujero era el modo en que la Naturaleza hacía que el fluido del cuerpo de la mariposa fuese hacia sus alas, de modo que estuviera lista para volar una vez que hubiese salido del capullo".

¡Deja de tirarme!

Se forman grupos de seis a ocho personas. En cada uno de ellos se elige un voluntario que habrá de plantear un problema que aun no tiene del todo resuelto. Cada miembro del grupo escribirá en un folio (con pocas palabras y letras grandes) la respuesta que ellos darían si se encontrasen en esa dificultad.

Los miembros del grupo, salvo el voluntario se colocan el folio escrito en el pecho, cogido con un clip o con cinta adhesiva. Forman un círculo y el voluntario se coloca en el centro. El animador da la consigna de que durante el desarrollo de la actividad hay que guardar silencio y no pueden conversar entre ellos. Se invita a que el voluntario pase al centro del grupo, desde donde pueda visionar el papel escrito de sus compañeros.

Cada miembro del grupo tendrá una cuerda. Un extremo de la misma lo atarán a la persona que se encuentra en el centro del círculo; el otro lado de la cuerda lo asirán con las manos, agarrándolo con fuerza.

El animador le pide al voluntario que contemple todas las respuestas que se han dado al problema en cuestión; cuando tenga decidido qué respuesta le resulta más satisfactoria se acercará a ella para coger el folio del pecho del compañero.

A los miembros del grupo se les comunica, previamente, que tirarán de su compañero cuando detecten que se dirige hacia la respuesta elegida. Tirando de él habrán de convencerle de que su respuesta es mucho más adecuada.

Es aconsejable comentar que no es un juego que requiera agresividad y que, por tanto, no se trata de tirar al compañero ya que podría acabar en el suelo. Más bien es cuestión de impedir que llegue donde ha elegido ir.

El juego finalizaría cuando el voluntario consiguiese alcanzar su objetivo. De no ser así, a los dos minutos el animador dará por terminada la actividad.

Si el tiempo lo permite, se puede repetir la experiencia con todos los miembros del grupo que sea posible. Cuando hayan pasado todos por ella, se abre el diálogo grupal:

- *¿Quién de los que estamos aquí quiere ser y sentirse libre al tomar sus propias decisiones?*
- *¿Qué relación tiene este ejercicio, con el cuento de la mariposa?*

- ¿Qué pueden ser esas cuerdas que nos impiden movernos con libertad?
- ¿Por qué nos cuesta tanto mantener relaciones basadas en la libertad mutua, sin ataduras?
- Comenta experiencias en que alguien te quisiese ayudar violentando tu libre capacidad de elegir. Cuenta otras en que tú hicieses lo mismo en personas que demandaron tu ayuda.

13. SABER DAR GRATIS

Objetivo: rescatar de la vida los valores y experiencias que han vivido. Ser capaces de descubrir que personas les ayudaron de forma desinteresada a madurar. Comprometerse a dar lo mismo con gratuidad a quien lo necesita.

Material necesario: fotocopias de la tabla anexa.

"Solamente una vida dedicada a los demás merece ser vivida" (Albert Einstein).

El paquete de galletas (Autor desconocido)

"En el andén de la vida...

Cuando aquella tarde llegó a la vieja estación le informaron que el tren en el que ella iba a viajar se retrasaría aproximadamente una hora. La elegante señora, un poco fastidiada, compró una revista, un paquete de galletas y una botella de agua para pasar el tiempo. Buscó un banco en él andén central y se sentó preparada para la espera.

Mientras hojeaba su revista, un joven se sentó a su lado y comenzó a leer un diario. Imprevistamente, la señora observó como aquel muchacho, sin decir una sola palabra, estiraba *la mano, agarraba el paquete de galletas, lo abría y comenzaba a comerlas, una a una, despreocupadamente.*

La mujer se molestó por esto, no quería ser grosera, pero tampoco dejar pasar aquella situación o hacer de cuenta que nada había pasado; así que, con un gesto exagerado, tomó el paquete y sacó una galleta, la exhibió frente al joven y se la comió mirándolo fijamente a los ojos.

Como respuesta, el joven tomó otra galleta y mirándola la puso en su boca y sonrió. La señora ya enojada, tomó una nueva galleta y, con ostensibles señales de fastidio, volvió a comer otra, manteniendo de nuevo la mirada en el muchacho. El diálogo de miradas y sonrisas continuó entre galleta y galleta. La señora cada vez más irritada, y el muchacho cada vez más sonriente.

Finalmente, la señora se dio cuenta de que en el paquete solo quedaba la última galleta. 'No podrá ser tan descarado', pensó mientras miraba alternativamente al joven y al paquete de galletas. Con calma el joven alargó la mano, tomó la última galleta, y con mucha suavidad, la partió exactamente por la mitad. Así, con un gesto amoroso, ofreció la mitad de la última galleta a su compañera de banco.

—¡Gracias! —Dijo la mujer tomando con rudeza aquella mitad.

—De nada. —Contestó el joven sonriendo suavemente mientras comía su mitad.

Entonces el tren anunció su partida...

La señora se levantó furiosa del banco y subió a su vagón. Al arrancar, desde la ventanilla de su asiento vio al muchacho todavía sentado en él anden y pensó: '¡Que insolente, qué mal educado, qué ser de nuestro mundo!'.

Sin dejar de mirar con resentimiento al joven, sintió la boca reseca por el disgusto que aquella situación le había provocado. Abrió su bolso para sacar la botella de agua y se quedó totalmente sorprendida cuando encontró, dentro de su cartera, su paquete de galletas INTACTO".

Me lo dieron, te lo doy... gratis

Se puede iniciar la sesión con la lectura de "El paquete de galletas". De por sí resulta muy impactante este cuento cargado de un extraordinario mensaje. Cuando se ha finalizado de leer y se ha dejado unos segundos de silencio se plantean cuestiones para el diálogo:

- *¿Qué te ha sugerido e impactado del cuento que hemos escuchado?*
- *¿Recuerdas haber vivido alguna vez algo semejante? ¿Cómo fue?*
- *Haz memoria y comparte que personas en tu vida han compartido contigo "su paquete de galletas" y "su agua". ¿Te sientes en deuda con ellos?*
- *Y tú, ¿con quién compartes tus "galletas"?*

Cuando se ha conversado sobre las anteriores cuestiones, se les pasa una copia de la tabla adjunta para el trabajo personal. Como siempre, el animador puede añadir, suprimir o retocar algunos de los elementos que aparecen en la misma.

Al concluir la reflexión personal con la tabla se reúnen en grupos pequeños (de cinco a siete personas) y comparten lo que han trabajado.

Se les pide que cada grupo llegue a conclusiones comunes que pueden expresar, con lemas o frases, en la puesta en común que se realizará por todos los grupos para concluir la sesión.

Anexo: Me lo dieron, te lo doy... gratis

	¿Quién me enseñó? ¿Con quién lo aprendí? ¿Quién me lo entregó? ¿Con quién lo viví?	¿Cuánto me cobraron por su gesto? ¿Qué precio tuve que pagar?	¿A quién le hace falta y se lo puedo ofrecer con gratuidad?
Valores que interioricé.			
Experiencias inolvidables que me enseñaron.			
Gestos especiales que me ayudaron a cambiar.			
Lecciones importantes que he aprendido.			
Lemas y frases emblemáticas de mi vida.			
Aventuras emocionantes y muy instructivas.			
Regalos y dones que me ayudaron a crecer.			
Gestos de generosidad que me estremecieron.			

14. UNA LECCIÓN PARA EL CAMINO

> **Objetivo**: reflexionar sobre el sentido de nuestra existencia. Descubrir la importancia de poner lo mejor de nosotros mismos en el camino de la vida.
>
> **Película**: "Profesor Holland" (Stephen Herek; 1995).

"No vale la pena llegar a la meta si uno no goza del viaje" (Roger Martínez González).

El viejo carpintero (Autor desconocido)

"Un viejo carpintero se sentía cansado y deseaba jubilarse. Conversó con su jefe, un contratista que se había convertido en su mejor amigo, y le contó sus planes de dejar el negocio de construir casas para tener más tiempo para disfrutar de su familia. Extrañaría el cheque a fin de mes, pero tenía que retirarse. Ya se las arreglaría.

El contratista estaba apenado porque su buen empleado y amigo se fuera, y le pidió que por favor, le construyera una última casa como un favor especial. El carpintero estuvo de acuerdo, pero pronto fue obvio que estaba trabajando sin ganas. Ya no hacía su trabajo con esmero y estaba usando materiales inferiores. No era la mejor manera de terminar una vida de buen carpintero.

Cuando terminó su trabajo el contratista fue con él a inspeccionar la casa. Luego le dio la llave de la puerta de entrada y le dijo: 'Esta es tu casa, es mi regalo para ti'.

¡El carpintero quedó anonadado! ¡Qué vergüenza! Si hubiese sabido que estaba construyendo su propia casa la hubiese hecho de otra manera, con más cuidado.

Lo mismo nos ocurre a nosotros. Construimos nuestra vida día a día, y con frecuencia no ponemos lo mejor de nosotros en ello. Y luego nos sorprendemos cuando nos damos cuenta de que tenemos que vivir en esa casa".

Para el trabajo en grupos:

- *¿En qué aspectos de tu existencia tendrías que poner lo mejor de ti mismo para que tu vida mereciese mucho más la pena?*
- *Construye una frase por la que te gustaría que todo el mundo te recordase; que sintetice el sentido de lo que desearías que fuese tu vida; que refleje tus acciones y los valores que la cimentaron. Comunícala al grupo.*
- *¿A qué te compromete ese lema que has construido?*

Bibliografía

Alonso Monreal, C. (2001): *Qué es la creatividad*. Madrid: Editorial Biblioteca Nueva, S.L.

Andreola, B. (1984): *Dinámica de Grupo*. Santander: Sal Terrae.

Antons, K. (1990): *Prácticas de la Dinámica de Grupos. Ejercicios y técnicas*. Barcelona: Herder.

Antunes, C.A. (2001): *La teoría de las inteligencias liberadoras: Estrategias para entrenar la capacidad mental y la creatividad*. Barcelona: Editorial Gedisa, S.A.

Ayuso Carrasco, I. (2002): *Animación sociocultural.* Formación Alcalá, S.L.

Beauchamp, A. y cols. (1985): *Como animar un grupo*. Santander: Sal Terrae.

Bion, W.R. (2000): *Experiencias en grupos*. Barcelona: Ediciones Paidos Ibérica, S.A.

Blanch Aribas, J.M. (2002): *Trabajo y relaciones humanas*. Barcelona: Editorial UOC, S.L.

Borrell y Carrio, F. (2001): *Comunicar bien para dirigir mejor: La comunicación como forma de ilusionar*. Barcelona: Edicions Gestio 2000, S.A. 2001.

Botero Giraldo, S. (1991): *Dinámicas grupales de reflexión*. Colombia: Ediciones Paulinas. Santa Fe de Bogotá.

Carreras, LL. (2000): *Cómo educar en valores. Materiales, textos, recursos, técnicas*. Madrid: Narcea, S.A de Ediciones.

Castaño Fernández, J. (2001): *Juegos y estrategias para la mejora de la dinámica de grupos*. Editorial Wanceulen.

Diéguez, J. y Cuervo, M. (2001): *Mejorar la expresión oral: Animación a través de dinámicas grupales*. Madrid: Narcea, S.A. de Ediciones.

Francia, A. y Fernández, J. (1995): *Animar con humor*. Madrid: Editorial CCS.

Fritzen, S. (1988): *70 ejercicios prácticos de dinámica de grupo.* Santander: Sal Terrae.

Fritzen, S. (1987): *La Ventana de Johari (Ejercicios de dinámica de grupo de relaciones humanas y de sensibilización).* Santander: Sal Terrae.

Griffin, J. (2002): *Qué decir, cómo y cuándo: Comunicarse con aquellos que nos importan en nuestra vida personal y profesional.* Barcelona: Amat Editorial.

Hostie, R. (1982): *Técnicas de Dinámica de Grupos.* Madrid: ICCE.

Jiménez, F. (1979): *La comunicación interpersonal.* Madrid: ICCE.

Luft, J. (1992): *Introducción a la dinámica de grupos.* Barcelona: Herder.

Martínez, M. (1998): *El contrato moral del profesorado: condiciones para una nueva escuela.* Bilbao: Desclée de Brouwer.

Martínez, J.M. (1981): *El grupo y la expresión de la fe.* Salamanca: San Pío X.

Martínez y Martínez, M.C. (2001): *Psicología de los grupos: Elementos básicos y dinámica.* Murcia: Diego Marín Librero Editor, S.L.

Mir, C. (coord.) (1998): *Cooperar en la escuela la responsabilidad de educar para la democracia.* Barcelona: Editorial Graó.

Moreno Muguruza F. (1997): *Comunicarse para ser feliz.* Madrid: Central Catequística Salesiana.

Movilla, S. (1985): *El grupo echa a andar. La identidad personal. Problemas de los jóvenes.* Madrid: Editorial CCS.

Navarrete, R. (1993): *El aprendizaje de la serenidad.* Madrid: Ediciones San Pablo.

O'reilly, M. (2001): *Dinámicas de grupos: Recursos para las reuniones comunitarias.* Madrid: Publicaciones Claretianas.

Pallares, M. (1978): *Técnicas de Grupos para educadores.* Madrid: ICCE.

Placer Ugarte, F. (1988): *Teoría y práctica de la dinámica de grupos*. Vitoria: Editorial Eset.

Ramírez, M.S. (1983): *Dinámica de Grupos y animación sociocultural*. Madrid: Marsiega.

Reyes Santana, M. y López Noguero F. (2002): *Dinámicas de grupos en contextos formativos*. Huelva: XYZ Ediciones. Artes Gráficas Giron, S.L.

Shaw, M.E. (1994): *Dinámica de grupo*. Barcelona: Herder.